太いかう記

二冊之内

緒　言

一、本書は私の架蔵する「源氏こかゞみ」を、ほぼ原本どおりに影印したものである。ただし、原本の二冊を一冊にまとめ、さらに大きさをやや縮尺したほか、原本ではすべて朱筆で施されている合点等の書入符号も本文とほぼ同色にて示さざるを得なかった。

一、原本は縦二四センチ、横一九・五センチの袋綴二冊本。紫色の紙表紙の中央上方に題簽を貼り、「こかゝみ」「こかゝみ宇治」と外題する。本文料紙は薄様、奥書にいう「元和八年」を遠くへだたらざる頃の書写にかかるものとしてよいものである。

一、本書は普通の「源氏こかゞみ」とはかなり異なり、本文が多い。これを増補本と断じてしまうことも可能であるが、他本にない本文にむしろ中世的なものが感ぜられることに注意していただきたい。本書を読んでいると、私はこれが講釈の形で講ぜられたとしか思えないのであるが、くわしくは機会を求めて別に論じてみたい。

一、「源氏こかゞみ」の性格、あるいは諸本中における本書の位置等については、稲賀敬二氏の『源氏物語の研究』(昭和42年・笠間書院刊)にくわしい。ぜひ御参看いただきたい。

昭和五十三年三月三日

片桐洋一

○源氏小鏡　勝安房殿　耕雲進上之

一　桐壺　　二　帚木

并　空蝉　　并　夕顔

三　若紫　　并　末摘花

四　紅葉賀　　五　花宴

六　葵　　七　榊

八　花散里

十　明石

并　蓬生

十二　絵合

十四　薄雲

十六　乙女

九　須磨

十一　澪標

并　関屋

十三　松風

十五　槿

十七　玉鬘

并 初音

并 蛍

并 篝火

并 行幸

并 真木柱

十九 藤裏葉

并 胡蝶

并 常夏

并 野分

并 藤袴

十八 梅枝

廿 若菜 上 下

廿一 柏木

并 鈴虫

廿四 御法

廿六 雲隠

并 竹河

廿二 横笛

廿三 夕霧

廿五 幻

廿七 匂兵部卿

并 紅梅

かほる中将
とも云へし

源氏小鏡

桐壺　此巻ハ内裏にある所殿の名をあらはし
淑景舎といふ其一を桐壺と申也
天皇に上ゐ本主のおはしし御在所内
此名ハ殿桐陽舎といへる所よ仲を様
しのさこの中よ一万あめふらせたまふ
人を十悪ハ死後しやうきやう仏をせ
いふ讃文のあろうして桐壺と名付た
うちまつりさせて絶門桐はるゝ
御簾して源氏の所母をも桐壺の
更衣といふやうにきこのまたは一の人なる

淑
昭陽舎　梨壺
飛香舎　藤壺
凝華舎　梅
襲芳舎　雷鳴壺

此姫にくハなし父ハ大納言にて共にし
人のまゐらせたち名たかきゆくへありて
家伝へよさしゝやまゐらせかし事の折の
御めつ房給ひしのたもたくの女御かうね
みやもまそ給ふらふさふらひかへし若君
二所このかたみ此服よりこさま房給ふ
此姫三歳にありらふるいの此母
父ある夜なゝ給ひてやさしひ限りなかりは
大内しゝゝ人なとからせ事なりけりは
父君ハ此母源くるりしてこ御そてさ房
給ふをゆかしくれ此つうしせられしはけし

牛車のちいさきを絵にかきて黒人あらはる
この牛車は尺ばかりくらきほどくのかま
なるにはなやかなる人などいめされさせし
ばあまりめけ心さうしなりても行の詞
あけはしく　いこのたびゆく　ゆくろ
こさめ降りけり　梅の使　さて大内を
出発ち人門を舟にすなはちかみさ海
くのつとびの海へとまり　いこふも絶え
にしく梅もゆら海ひえぬしても所よ
ひさしとて見る海苔の池あらはみ
かしきかしなりなりしかりかりなかさかの

なけきわひしく流涙のまゝなりかこちさき紀
の位もなきさかしく於何事もいかゝか
かたくのそのをわきも文亜にそちやとところ
おはしましたまひくらゐて後勅
使をたてさせ給ひて三位の位をおくら
贈給ふのこさやれ給ひらやもあやまく
て秋ふのなりぬ失に更衣の母をの
因しく思よさうひしのこき君の流
いみかよるしかに何給ふ哀
事しくてきものあはれなるれ又着に
思ほしやまなさうへ御子うのいのちやなとの

や春をは使まては文つりの韻ねふかふ百行
の調　いはゆる律　法の書　志けき
まくも　大内　宮仕　小萩　雲井
上人　宮城野　浅茅生の宿
嫌はきそふ…ゐ徳ゝハ　かうゐめの里の
事なわかなきんの宿なゝしいふへしとあるへき
は弄まし
「宮城野」露ふきむすふ風の音　小萩か
もとをは思ひこそやれ　梅は使帰りぬる道
アま親てゝ中はうらおゝく　一くそはれゆし
あはの調めくねゝともゝ白しゝてさゝろ

稽古は修行也、此門の心のかたちなりもひさしは
為也しなきんすゝむ事あるは達者也
付くし此からぬふくり行つゝそのまゝれ
て共ありしへつらふ則しかたちふる御諸も習也
数かりぬれば一色、浦島六歳のはる年ごく
連行ふるや、稽古もしく重陽宴とはいふ
人のはしたなくさしつゝ作名するや、一二歳
まことにやうるさき七歳にてこれ文知め十二
にくれ文勝者は作者の始祥武東四書
の例をひきしありし三皇の代五帝
むかしもいまもいはゆるやはかくて学文志

絵にも琴笛の音も雲井をひゞかし
すへて何事も人にまされぬみなりけるに
かゝる人よりたかき中にさるへくのた
の聲あやしき絶ハ愛親の流門ハ仁王云
十代の流門流相同出家以後の統ら
為王にゝくやすく宿世て斜羅百済やすくも
あふさきるさなりける人をさめの中によめなし
本ハ中納言の門流の流へやすし然あれした
いみあつる悪むてしてハ太子ハかゝるなん
はゝのたちしたゝかれいうしろ見侍右
工弁此子の怙もハせてし出なかり

鴻臚館 異国ノ使者居之 異国ノ客 渡者ヲ以テ 御

すまゐはゆく人をかよはしておほ國きそひ
かゝふ事ありてあやしき國のかやかよさうて
帝王世紀にあはれ経子のやうへぐさう
そのはし國さく人かたらひしててん地にみつ
まへはいはゝつゝやあらしむかしやはかか
ためとなりて天下をたもつらふめつそ
それは文そかはりたるふしつるまつにも
しかし、おしはきよくあひらるゝひゆうにかれ
ゐるつもゝのありことに舟そありける年ひたる
をはしる書とうやしひかへにみしきそうぬ
すめたてまつるおほ同なりけるものりくか

ぬかよやたにやすめるせなよしゝのよさしかゝへ
にょいりん観音力をしむけてこれ
うしゆしけるとやや源氏をたのもし
なきてよりは我朝へ飛ぶ梅や安摩や
祈ぐしてふかの時扇鏡さとりのふを力
のちかの力らんへ若君をたのもしら
そもそ光るは錦ふきて時は君国の力なり
ものねなるゝ中ふきてゆたし
われかの夜なきしかなりかの力たうさねそ
ろつもつよ山に都の大きんやにし
さけしむやうゆんゆう都緑時

はるのゝらんともやのあるはに縁さ経ゝしに龍
王の宮にして龍宮にて龍女の心さしをみせし
たえよりむかうしとよしにこころさしをみせし
耆闍崛山にて佛の説法ましまし
たまひしに法ちやうもんのためにも
志らうて龍王青海原の浪をしのき天竺
ひらきて佛の御名をゆるしたまひし
ちりくすゐにくわりふたつ耆闍崛山のつく
音にしれハ浪霊山をはにつたへたりしく
古今にあやまらす佛の八音とひゝきあり
ものゝ思ひてにいりし中真にもよはふ心経

そ春あむ縁と見ゆる岩が力石とは
たゝらのよの石ともへありかの石力よりし
むかし菓花生るさまぶさ石竹なを
ふきに様春風るありたえしもの丶音
すゞ鳥春わ百歳ふるて老の力あわり
ちるまたゝく桃も来月て桜いねふと
をのかさ比たゝさ桃合ひをかへ八幡
まくるしくそしくをすみ梅よ順
むかしさきかよりぐをしくゆふさ
このたきめかをさ瀧の國へ流れし
く給ひし時、四のる水よりつくゆよ

幾らく首へおなしゝに二年のかゝり
かたらひすはきのより煙たちのぼり
もとつらぬふにほなかきたちぬき
業平とやまきさへこのしすかにせ
けふふみたきぬさ花きりのたら
あやまきもまなとふつかれ悪ここへの男
みつぶらけく天ゆのあかせかまちと
深田にもらさぬく行つ紛し同常陸守
此門のまへ中てとりて持命にさ後
娘の本橋枕よりゆかぬふくを文待あて
行先のうへりわつゝひあゝへおゆゐゐ

雲ゐゆるや又扇はこれにかやうのはつる
させたまへにほてる給ひてやよかれ
あるじは清盛ゆかりの扇わしつり源氏つる
人よりあまた給ふの年十七歳あまりに十二の
の年元服せらるゝに白源の氏給
ひて兵人よりあるき給ふは元服の日の門
のれもうらひにて左大臣の
むらさきなりまさりて山郎君は葵の
上のつねにある源氏は十二葵の上を
十六のとしもうさ一つ年上のかのえもひし
比ろのなすに源氏おはし一面もえよ

これとおなしほとりにやすくつはさらわ
はたにほくまもえてかひきつれの居の
すゝき
みゝときゝすゝとゝろつねとおもひしにすさまし
ちさきむゝらつはむとひふめやいみ井
住ふるあり丈上天王かれあまた
むまひはふつゐろきこもとのひり
あさむしうきかぎりあもひそとおり
又なにとなくゆめひかむしさきとふと
宮ものゝけの大膳か附堂かのとひめ
そゝにしくわらひさとはつゝしとあらま

さ候はゝめてたく祝ひまいらせ候いつまても
あらたまへし又若紫のまつさかやく目出
家とては藤袴のゆかりある源氏
ゆかし母あるへき桐壺の更衣かくれ給ひ
てよりやまれ門西云なけきをおもひしく年月
姫君ともにうらくおりしめしかねよおもへ
さ程給ひては明日をもすと須磨
あり薄雲はむなしきれ床に秋の野分
春さ程給ひくれつめすくさしかるへし
なし雲の上も霞よくくれてすけ世
おふ花宴よれ門の為よいめいそ

おほよそ通きて先代四方雲の形さそはれて
ききて貝て名さへきこゆ昨今おのづから毎の
后なれはいとほしくつまゆかしくさる母
給ひし御前備へめでやすんじめで屋
闇がしててすつもけるがすてらにれ心
なくさ通も今ひてむかし力又衣すめ
あすまくならふ源氏など来源氏とかや
うしに幽姫君うやくやうにおのづ国
そはさかつやく日力家とかしけまさ山家を
常人しをさなくよやすがけれる心に
有り三つ然たえてさておひろく有發

せんさうの御母ひくきゆへにやありけり
てこれは子一人おはしましける冷泉院と申
はまた帝也桐壺はこれ門の源氏の御父
御門をかしこしとはまいらせ天人みなる上
にこくおほつかなや世に桐壺の御門と申
たてまつる御門乗輿はこれ門とみえたり
〇一 第一巻のきさき毎巻の物語とも申
あるひは源氏はいつこにましましける大内のはるの井
下よりおほつかなけれはなをふかくありさめ
たてまつるとてさて時根中将と
きさき母いに源氏のおほえうしと藤壺

乃此兄ありくか乃君と后宮頭 藤式部
ゆち志殿上人きかくく両多らいさし多
あの事徳いふあく此物語あるやしけてよ
ひとのしなる乃よしあしいらしとえしい
これをそ夜乃しけるためしいぬもし
おの乃詞まきてこ さ乃せ乃思
ふかけしさく物　わく　為此宿
しきをありて　よしいもゆ語此とんし
松乃中将乃ものこわよ武勢乃内
侍此そんもしとを極子心こくもゆ
くゆれし母ハ父のかたへこそか物語よく

桜子也あらは玉鬘と心へ色し此時
乃うるやまんは四月ありせらあしなう
こふかたに寄せねとおいわかふ色
かゝるむらしみらうらは四季よかく
あまり人とらふしとあやしなアさて又
流れわみあやしかた里へいくゝら移
れしやさしきこふよこあさかりきに
てし西しと御家人乃俳諧とちや
すゝめ人あやはは改のまよろしひか
古通るゝか乃なる俳諧乃くて
點水　柴垣　洒ー貴谷なすとまれ

あまつもあひいさきうゑのうちに

のけやおいやいうあつゑのうちに

さらひらくそくのつけれいしく所に

さらひ入くそくのつけりあまれの

てあちらさて大浜をめてらなこて

せひくかなもの性くるも所に

ささらきかいうきあらきけれ

はほもれいさられむこもくしく

一うろきまてあうれくなくれ梅

けらたよは一きあなをけられ日

しひてまぎらはしきをさいやくきつよふいひ
はかなき人はふかうしるしもなくて思ひあかすか
あやしうくらく人までし御本の妻なれども
なかゝる危ふにあかねもとかはやなさこも
なみて家しかくみへめるしは思りの
殊にかくてつくるとも容顔さ名高しりて
清しおりきそてとこそひとつかうり
あふうかましくいたつてよとを
ねへよめきてもあひなきすゝ源氏は御
よくろはかくつまおはしめしおほふらくや
さかりのさましくもこそ給へつゝ常

時移りて後居は成たまはしかはむくなる
ひんかしに千本東洞院の東の方なりといはよ信もわれ
きいの守の家は中川のかたはらなる
今の京極川なるにや。中たてもへよ中川は
一 紀守の国のうつりをなそて—さるともたなる
いさゝか守かは頭中将の物語なれはこそ一向
男女の物語は人々我通ひし人のゆくゑ
かとをたらある鳳りしへかしひけるを
をたるすたれ内よりさゝめはしつゝ車よりおりく
ゆかしむれいつるさゝいはくれそれしつゝきる
終りなる地にあはれ思ひつゝ此男

御殿をさへ作りてすはうをはじめ内よりまゐ
また古人をひきていさゝか菊紅葉にもみぢ
ありけるなり。
羽之乃音にこそものあはれなれ
雅楽をとゞむるやとめけむにみえける
うきよりは心女房乃かたへゆかまほしき
女よ心をとゞめ給へこそ山乃君の事
あめりし為白し水中擬語てに怪しも
末のひくよ通ひ給ひしくふかきあかう
さてしまゝおほみくさくあらそひ世
ゐはつゝの日たちにさてしかども

小乃ゝまちか杉らうしさゝてをとゝしあそと
やすてゝかまろあるあはれまゝくゝ得居ゝやまゝ
有時頭中将おのゝゝぬらにあさ御く
うちゝゝゝてなほ宮なゝ涙くゝて眼
居乃ゝゝと
川山乃乃きさなきとゆ杉くゝなきひ
かはよ襟乃もぬしゝ傷やそわそのち
わらゝくりかれぬと語りてしも回
くゝたるこのくゝるひしゆふはの
おやさ涙なあひくなにつの後まてし
あまゝくあてしのらゝおのはちつき

十七乃きまつ乃夏たちまちふかしの院とらえ
むかし嵯峨天皇第四乃王子融乃大臣
何ろうゐ可なり陸奥乃志ほかまのうらさつ
さへうつしおかれしやかたや古今にならなきさゝはの
院とゝにしありわたし家、河原院ともいへり
なりよかしの寺とゝふ融国乃つゝらおりすゝ
藤末中ゝのこゝろきにあそひ世むら、ゝ
絶ん乃ちはへ、かのよきみゆふぐれ、ゝ
あらしにけんさしてあれはいとにやと
とへはふかく播川乃はつやく播くして
なくさきまよひてあつまりゐたる六月

のかへらひらふみつくしのやせし音あく風く
くはしなよめくえずもひいたらめくさ
おもひしくはつくにしふのめ所き
雲つよの紅葉を寄てゆふなけ
たえずふ風のなるつ風のゆつしとぬ見
けるか我道成すに
帰かるの梅のさしひきしに
あるの国とくせもいふうあやなきいめしき
てそのもしりを国めし
人はかくえせとくくたづね宮はむつしく
世の中将をよめるなぬせしくもうら

ゆふけく吹くる風いよいよいと蝉はくは
なきれあらかなさ露をもとめてやひ
はかなきをやみふ絶なり
○うつせみ
空蝉 は中の なきいろをとこと云也
巻まの名のうたくの哥に有
書きを所説し一しあらずもれぬ木よ
思ひしかも乃家乃空水増しらし
ゆくく僞ま蝉きもくかうへますき
主ハ巻名乃かはもむつかしくいひ
さればとも更衣ハあひなしす也しく
空蝉とはおもしろくめでたきひく

かくてつゝひとつ車にのりて思ふらんかれ
うちとけ十二三ばかりなるわらはべ
いよのきみのいろよくあるまじきとめでたく
やそて殿上わらはべよなうてはんや
おほみ梅くゝゐたるこそかきりなきとゝ
さらにかゝるくまくしらぬひと〜せ
てらくけしくれのなかのかせを遠
内裏ならびに一車よりのりてかの中
川よりわたりぬる清へいはかなるかさる
あらなるあまのかたはらに源氏の
東の内よりいだし車給はりて入はへり

まりてがの小麦をところへつけてかうさいた
ゆふかほよゆふむすび此西此方と碁
うちていくるまうのかわれ問叶いさん
外や　遠近とききかへし　十車
焼　小松　廿　卅　卌　よ御は碁
の折の間あるに、かの嘉と碁うちそて
ろふがうへまる濃にあり梅諸ともよらち
かうくひて候を御覧じてところりて思ひ
いりくるはせなとしくしくてふれ給ひそうて
よろしくかくれぬ御所の心ぬけかなく
衣けるを御中たりけふんろしさしめし

力翁とあひ給ふあまたゝびのかゝたる
へいこの里ちやくの名やあれつとれ
かし晩しもがつらの勝ぬるふ清魯ゆ
もとらむ御うあらされざりしめもの
あるせたゆらゆゑ力ち一様の情けし
新勝の荻といふ此所あはれ遊あまよれ
さらさとらみたりしかゝこ力人さいふ新
勝れ荻との下荻のいふめる心るもさ
力娑あさいふあしかし葡れさりろ
はし力人のぬるきかきたまりさされく
かへりゆらふふ力つとはあらつて増る衣さ

云井あやし此巻乃名をなつかし人香よこらむ
なくいつれありこそ後乃あしたにれなく
あやま所よし
空蝉乃身をかへてける木乃本にな人か
此あはしきの風さてうち空蝉とかなはせる
○それきて夕顔さかまゆゑいふして
朱雀乃御息所とゆふしはたかいらん
后なりとせひかり香まてしかくれ給ふ
屏は桐壺乃御門乃御才ほくはつ御
漢ひめ君のおなをしも同し御子乃かふ
とく思ひけりなきれこそやさしらん

思ひくらふるに世の人ゝとかけれは
きこゆるにかしこくかしこく給ふる
又系図所々に久顕僧の小野宮の右
ともあはれなる事あはれにて給ひけれは
みえたるやう思しくゝる思ひたゝしさたまかは
聞給ふよしをきゝに頭中将のかくら
しるそしよりの源氏の母うれしく孫
宇治殿所ありあるはれなるよし例の源氏の
わりなき母ひあそさい御車あはれなり
且てし花の見の花の白くゝもさらに
思ひたゝぬとおふその花をうつして聞かへり

みまへに西よりおかけにてあるは中将に
めしおほせられしを白き扇のつく
呼やうさよねかはくはたてまつらうの
かとの詞　まつきさ扇　引しく之
小弓　なつかれは　ひやう
すさましけ戸口　さうめしん
ふれるをゆふ向よ付くしさる源氏
乃御前しき
行くてうおもむけんめたうこゆく
かたく見ゆるものゆふかいにをりも
あふかいよい人たへ人よし揃えし繁

かゝりしほどにいとゞ世の有様をおぼえ
ちとせの源大納言修理大夫おぼえつけて
春宮の大夫させてけるもむらせ給ひ中納言
かくてのちまことにそのけ母宮とおやし
く御事をもしめしてあそびかひ給ふ
姉のきみなかめに八月十五日の暁なかうの
なくいさゝおほひ給ふうちに給ふみなみにかきて
とゝ宿りにこゝろしみ小野に御簾のうちにて
やうくところのはかなくめぐり物語などせは
こまかなるかたちはすくなくたる物
かくらまかの音　見たけせうし

ねつく山かはらにみなかみの小路のかたと
なりまさ殿見えたりけるを見しに見ゆるくるし
そんとおもむときかものかくちかうせし
すむのうちをかよりし柱をなくし葉ま
むかしつくらく乃世をうつるる十六た
く七十万歳なてと四百ばかりとや
ぞうちそくかをとのまへの見ちをあるへまて
こひ世をかきちさやのあへきを見れ給ふ
中川なる殿の御所のふまに十六日の夜の御まうけ
すり本宮まうしかくし死ましいかまうこと
あまた経なりく十五日の暁一車よりなかし

か陰く侍きあさ世に時にしみて絶へなかり
しきりにし露の光やいのほと宣へさせ
寄蛍よひもとく紀たちかたなかなか
見色しえてとつ飛あまたけ遠
光見てと見つ久同かよ蛍はかなき明けれ時
かそこかぶやけ飛
なよくいひかつひ侍りぶ十六日一日いかに
かぬせしか涼か花たるよ明つひくう
さなふりの宵のよの涧　さ見涧
の絶　蛍のむり　打ち車
蔦くろ箱　水華にうかは舟て洗

鳥乃かゝ聲　たゞ入かゞ道はいひやら
かゝる日かゝ　玄従よおの足音ひゞくと
まだ隔りしくさみ所りけるなかに源氏
れ石刀をひおめきゆらめくふめぬらみす
いひくし梅へのせんとて惟光とめして
おいつるあるもうれしく清水よ惟光の云人
乃有るへむけきのうきういむけるこ
そらくみくいつせんが髪はつ隔せしめく
円のあやなり車よ乃りて将人のはひ
し妻とつよ女房たし車よのまうひく
りつはのうち思ひやるかのせつさられし清

刹那はなれにもあらぬ世のなかを梅
けんしあやしきあなかしこ思
そく惟光を使しらて清水へおもて
なりき物を酒読んしてふくたもひ酒行
ちあめふるうちに日わしぬひしやし死出
し出れなりくれあひ力なんそこを住
きたわし鉢ものはいるもの西よりかへ
わすゝへふれて笛けにも絶ひてそ拝われ
仏の絶剣さ浦みるに村わしやまさえて世力さうま
まにも持力をぬきさらすおもひくるわ給
ほし梅は春をめし寄てましかば孫なかりして

いふ初人にいひよそくて見給ひてけるを
めでたくおぼしめして男子と女子とを生給ふ
海玉の浦の君は母にもおくれ給ひし
伴緑の海ちれ舟なりしたから石せひなの
つまりし給へる絵人の事あまちきめし云一人
本書本紀にくはしくてはへくるぞ
羽ばたくほたれたてすらりくぐる流れ年
四歳なり十七の年より神功として君よ
あひたまふなり

○三 君が世はおほれますさへ君むかしさえぬ給ふ
むらさきのうへのおもかげ見し ぬ

しかぬらひゆめ御心のうちに
わにつくくしくにもの思ひ煩れ祢有
なひ尚はなるの花草なにしかは
おほえなさしつらききしゆめけれはさ
文字なき[illegible]へ一一品は源氏の御
御母藤壺の中宮をおきたてまつりては
しかぬらひしく後は母ひしく后の宮
よわきやうになひて冷泉院のうちぬらふに
行の福やはひくく思ひてたへのひとを御
御心もさはこそあれ御やすくさもと思ひぬか
なるやうにてあるへくたてまつる世の中も

うつ絵しく四君にも力見つむつゝさきかとい
この藤童の流めいにしく於りし通をとし
うるはしくに゜鈴ぬるふ故まゝ見ゆく中わせ
紫め草乃於わりめし玄丹あれいとよう
へくりやれぬるふ故まゝめやすさゝと若
紫をいへり弾多くむみ之童おゆりつ
はくつしたつあとゝて武蔵をもむゝささ於り
わしつけさ於ぬるふあるり古武アたゝ人よ
あつさを天皇にかく力人といつふ袮代
これたらのつゆそめ見つゝやいすに
也わりよ生まれ紫武中とつふあり天皇よ

あいく大王とてはこさる鬼をを持給ふ月
八万四千人なり或歌子又ハ兄弟なりとこさ
羅をやられくハ百四千かそさいかゝ為切
て中に一切経のひらつを入こちん大せん
をういへなけさ給ひ出の石塔日本へ
三きさうけとう國のとゆきニこさハゆくよ
あいく一こさいハ近江國石山よ有一こうハ下野
の國へなけと申のやいふ山陰の中の一切
経のむつんいをはな霧尺あらへく
源氏六十帖をはくはふからちさてむ
雲かくれハ石陰はひをしはとゆいふ

入て内符得子納めかくれけるといふまをせつよ八石の者よ入て太内よ

同しく源氏のよなる硯は紀伊の國の調法
なれはこそ石山にて籠られしけるを村上天皇（時代相違心）
かけんよりひろて行成卿よりなんうとし
ともゆるされしはみつからかきとめつるも
もつての外の秘事なれは源氏世上に
ひよをけ流布して的くふなき世にもめかし
くるめくれたまふとゝめこかくあれかし
さ房はかんゐたまふつゝは源氏十七歳
の年まうらいやまさしく一しは山にこもらふ
むまれあそして石けまは京へは紀ぬこと
わして通つゝきけもとて源氏物語

におもし御させかひなきやうもちもしあり
たれにやうくたてつ驚なだみふれなつさ
おそろしとてこゝ目ばかり御つきぬひとく
ちゝあきさきぬふ御つゝしあきにとて
立出くさしもしてひのうきに一よめ房
かくれ所有に御身にいと思しくのうせ
ぬへにはは姫君のうをここ聞かあらむ
わとしそろひしめかれ中まうらはの
師婦あわきみのうちをさして見ぶくちちやみんた
まふ侍らく節てあらぬへとてさかしよ
わらし御させあひくさし姫君よとも御れく

ねちたるをのそきしゝ紙燭して猶らふ
うの時のへそ然ふ　竹のまかん
杜とくらる　斗ちつてかこさい　うらめやけ
かいすみん　樹す　けぬつさい　柱やん
戸かそう　山の両ふやすらい内のそ
若草　たぬの神　瀧の音
流ふ紗ろし　田鶴の一しお
藤くらくる　はくふつで　若のそこのそ
きりのゆくむつ　山の鳥やらく　氷
月ちらき　さ独くハ源氏物語に　はらら
する世の一つゝ業のあ柳むつかさいの上ハ

先代の式部卿の宮の姫なりき
相當の后にははじめにはなりし藤壺の母もし
ゆきからのうちかやましき豊にはわらかく
よりの御母によくれくうよ君によりた
てられくおいもしなかふの那君のゆ
らきされさうくは流しそなくしへく
ふてくかき経をとりもはりくく海によるたく
もしつなたく遍つうふかの都見にあそれ
中らうしと四宮ては僧都によらい育う
おまくしれふによ正嘉年の九月のしらう
けんきへ又人によわくれくく京の旅によかまとつなる

住居しておはしきとぞむつひとやまなりしに
二条院のにしのかたにありしころつせせなり
ておもてあしめつよおもふ娘衣十のは年
なかにふかわしに屋にいけ山へおもひし比は
三月廿日あまり梅より京の花はちりはてて
山のゆくへはやまさとやらふいひたね又は
山は薩まとふつとはなは盛は舊
かるをおもひかなひしをいぬさるにかへらへ
にしたまひ給へいさくおしみのきはあ
あけたるさくめるをかすあさやかり
はしむとせ盛の給ひし幾年たち

たつ乃一聲と云ふ文　華也けり
對ゐいひかけたりけれとふ有れハ僧
都乃坊へ源氏をとりにつかはしけれ
華厳も古今にもそなはりけめなと
けふきたるまき八日本ハ清少納言の分
まいれ物ありさて文出し物語りとゞ云ふ有
流つ催中まゐりけりにくゝて音せて取る御
説んきこえけれハ京都より乃清ぎみひとり
頭中将広中雅なとまいりて頭中将
して笛を吹きさせ広中辨に扇うちなと
せられきぬかけなとし乃寺にみなしあそはれ御

とうくひをましてたゝりしあけゆきふ㐂
供ハなく　富士山のねはしめ　みさほは
須磨ゝ　明石のうらのうらみしたり
こゝろはあしたのそらもまとにもなの
ひとつかはすまきもる業正二季彼岸へいたりつくへ
たつみひ〳〵時もそのあたひゝめの夜
ひまなくてとしのあかつきおい九月よ
うとましかくれ〳〵十月の源氏のは
ありあかくさいまするふくからしまれさ
わかそのあしたかなきむいろ衣を
敬より勝ゆらに事いひしつるゆく

てはしろうらうつくしかりつなくて源氏
の拾云世上四十六にてかくれさせ給ふ
雲かくれ巻たゝまひしゆるとのはしなし
ゆへなり雲隠といふもひかりかくるなり
廿五のやすめきにて見えたり

○

すゑつむはなき
かなしかれ
末摘花此巻さそはゝむしと有
玄まひたちのみことやくる古宮
（つら）おはしましけるかうせ給ひて後流あまり
むすめきみ一人残りておはしきさびしき宮
さとかなる陪従居てさぶらふ源氏
ほのゝ人にきゝ給ひてぬすみしくおもひ一思召

出してしいふ如く思召てたらのまうた、
まふ源氏の流めでゝ中将のゆうふ
とて内よりつゝひけりの宮へまでし
をきまつりめかゝひぬるか人なれは道まては
まてく見せもあるふゆもしひのかのそり
たつねて流形あてゞ白くゆふかしく
はめさきあてはりのつゝくにおり
きみ見ら揚ぬひけれつゝく御一くわた
かし給一姓めゝもふのさとうを越
なまくだ進り見てかくしきおもと
宿りく見控てくふるましく物周ても

のちにはいつもへ刀かきさけて入て千葉殿
は東のたいに信頼ふしやすくきけれは
まくらをしき
なはめいかにいうかなにいりあ
まつしる花をねやにしれらむ紅のいおそ
なはちあをきものなるりをしくやはらく
とふかたのかきしかれよきよをはらしれ花そらよみ
ならふるさしき宮ところ悩にほのかなる大方
みなはなけれたりかりしをしにかれて
おもしくおもひすかゝむこをうち人ぞ
なるさい御前にめく思ひつくり御中納

一とせ露にて源氏のおはすゝめを見ある
ことむさてあらにけくさて行くさつゝめ
みあらしてこゝ母のうらに源氏
の清神とさへく頭中将
のきゝいに太白山をとさかとふらめ
いさよひの月二月十六日のつとめて
夕の音にむかしのそでみふかさ
ことぬる宿の様　よひく　太白山
春のいさよひ　読みよ出　なきれ
なと時き風うのつゝきと付愛し　頭の
中将とふかやうなる　末摘花つるこのり

かも損くるやしおきたんそれのわたりゝなくし

○四　紅葉賀　弐巻　もみちのかゝと云井　桐壺の

此門のかたちのかんの此賀は秋なれは

比八十月なれは紅葉をもて御賀の

さてまうけ紅葉の賀といふ也ひけ也紅葉の

下つしろき御は志ん親王人宮まかり御ゑ　ていきうかんかた

源氏は五つはかり源氏の青海波をまひ給ふ

ありまつくはなしてはくしさたまれん

かくる事のゆかへ々一〇院中将御給ふ

源氏よりとさされくもの中へつしくの

深山事とうるみてしかゝけしのもみち

伊賀くちやまてしかの宮のまへひよけとり
ふかき花ハ唐木のみなひくくれ前の菊
ひめおわくやうせめぬつゆのいろくにか
まとろへやまふてそろつ宮ささなむわ
さら猶乃涙　外く御つゆきく
うらみん　口はのめめひ　あすとさ紅葉
立秋くけくらうふ守哉さ秋くれそ
あまゑせ付屋しそう乃時め楽そもひ
もひうまつ乃夜藤壺の月乃家も
ほかさそつ清涼殿しけくむしの五百くく
源氏三のみひく清ろとあり御前しつよ

桐壺よりひよ立ゆまゆくものあめぬ宮は

御かうらいの宮の御やとらみ給ひ

ー御妹中藤壺

明くへの御子かたまはりけれて立居

ーなげくあられさい尺ふくとあやう

あかへの御子の弘徽殿女御は閨桐壺更衣じ

ーやうらの御しまひをとらへけの御覧

さくじ藤壺よ藤壺の御れる御いよう

あふらふ源氏の御れるにくまいられ

とも流門よ緒をーるーゆんさすく

たくひなく光覚ぞて玉ぞとうくうに

立たまふ十一ゆくすゑとほくしての君に、
流元勝ありくれたるやきさよ伝はりの
名乃かふ流治世十八年ふかしと冷泉院やと
きしゆきもを後の祖 兼しきつふ 露出やおり
おしの世よめかは もつしむさとひけの典やと
以きよ有事すれはこつくまを紅葉ちらしに
なけくはふそして 又出来らよ内の女房源の
内侍所とてその時及十七八の人めゆき
源氏十九にはおもかふかのめ序よたうせ
あれしめやすふこも後の詞 親の祝
西の名残 ひかりの音 扇 おつすや

うたふゑをきゝひよりて又立たまひけれし
此ついでゆふかくれしとゆき候ふとむる
内侍所のおりしもすけれ破のこしや侍ひし
源氏たまはかりあつかやうにてうちえ
きぬふせ源内侍のすけ見としよしもしひ
あはれくく君たちおもはらるゝわくく地よひ
かきひくたまふかれたかりふ声のかうし
なくしけつもちらてうれしきを候ふとく
わつらう給ふせ源内侍のかたへおりし
たう時頭中将わかいりあひて源氏の
恋とそうらうおもしろし…しのおもしろくもしくい

くさにしーたるしあつけ巻てしあはれ

ちらしー侍らんとみちにはけるしるし

○五 花宴けしきも花の宴あと云事紅葉賀の次

の年の春二月ついたち南殿

れ桜盛のこる花の下にくく遊宴ありたい

哉たまりや宮達公卿殿上人地下

手ゆくみかまて詩を作るあらわ中にも

源氏のいとおしろきやつ中わか春の鶯囀と

いふ題をえらく詩はくうかやし

其後去年の紅葉賀のかけひとおもひいで

させおはしてうかららる春宮御挿頭なり

源氏の浄見なりけらにせむ給ふは源氏
も云ふすひ給ふは梓中将の柳花の
えむとすひ給ひーなり後の西の寺
光しーも成女郎ーと云ありさきは
ほの世のためーなと云すなへし
それみのすひは人の給ふよしー梅枝にあ
うひきてく源氏の君とひのすなつよ
とおも世つよきままやと例の藤はすか
あさおもしききちみあらぬかのるに
よう身てしの三の口よりたら給ふ
内なも年月るさは花散の事へく

かすみたるおほろ月夜にまさるものなし前
に藤なみの宴へ源氏をまねきてなひてやさ
まひくみあひ給ふこの女房は春宮の
母こうきでんの妹にて君といふ
春宮へまいり給ひんとしてさだまれ
かさけられしかどんかすひそれ説のためし
内へ参りつゝ暁の給ふ暁の出御の
御もとへ入みそうくとのたまふ梅
内侍は給はたがひに思ひおはしまさぬかはひ
あひ――かゝる源氏君の給つたえ
時内侍所に

一 うへ事こそやうてしきさえもちはたはのてゐ
是乃原をいふらしやみよふきたまふ
源氏物語中
一 いはれしや夢乃扇をとりてさし
小篠の原にて嵐のふきけるにさらさらとみ
まう花ぬふ扇をもち尺ゆかへぬふ
中借の扇にてはらくれ乃くちるもさく
めはそそれ月を水にうつしそうよ
一 つへて付色し花乃葉乃やうさくけめる
扇乃てと名るる分へ一 法は二月廿日ちあ
てまぶたの一つて乗 一 三乃口 扇

草比原　露乃底とや　小篠か原也
おいこちの母の子の詞なりさて思ひくよ
冬みふりめことあるを中院内侍
継乃父叢内の時日暮ぬるあいらさ
方へ通りたまひむかしをふみに俄雨降
しあひさ西やさ里乃たえにはみく
さけとの人芝乃ふきの杣をとめ源氏
思ひくおほうそふ一切りさがの天乃ふ
かやにはきありてむしして本みはやのうは
てし本めひ絵ぶら黒の石のあひせ
玄揚をまゆしきよめをかし　たまへふ

あれを父の大臣見はけ給ひて召の
おひあわみくゆきこつぬとそいわ
ぬひくるいつとけかあ孫のねはゝ
さいまくおつまる百へさしゆきとあけ
くぬまふふれいあるからは婦みこまれい
ともは内侍のめ見の父のそん国ひ
せんかなと源氏のゆこしるみす国
御中将まさりせぬふみなくのかしもの
よしとまちういやくまくさしはわぬふ
梅内門くれさおぬひゝ春ゆかなかなよ
蔵人ゝゝ母みふきらもしかおしほ

代々のうめ杉ふかきひろふかき御傳授ハ葵
かきてり内へさかりつゝみてけるのち
やうやう時うつりかきよ正月に御傳授あり
なかめあふ若菜の色によあなすかな
絶えて世御ゆるさいはう傳とも御傳授
かくておほせなかにも天龍院も御庶民と
飛にみちゆえんもつけはしけれは天下
のうちいつとあるところかれ
やたらかなきにあへさられ
もとの師かうちらはあかめへあかり
はるはなやかき

○兵燹ふのやきはらひ也秦物宮のを
てりし、源国十二にいくえ勝その数をしら
宮やしぬるみ小川白秦よりへあまさ星に
本業暖の浮一般乃雅言、貧苦の赤
よろみこわぬく、暁国をのふろるねよ
そみ流供任ぬるい尺をみなきて
くく国をみくつとと秦王を国たなぬ
御目ゆくるつくわりゆげもにに流
いすいのなくさあこもくいて流説の
又源国のやかひたかぬ関乃からあ
のゆつひるけ也ぬるふとふるし流車乃

主所をは法信のくあらそひくるみやす所
の供車をおそしなと申なり
車あらそひといふ事ハ葵の上の
ありけれはあるひのまつり御なり
古宮にみやす所のあらそひこそ
たちよ御の物にはなりここの巻の八
月よ葵上をとらさせしみやす所へ
源氏大将のひたちぬるこそ流門院の上の
ちらの給ひくむかしれなきこと
ものかたくある御精のあゆのものやうを
うらみたまふ物侍りものかたりを

よゝこあはれなれといふ物ひてりましくく
地の筆也しなる源氏はよく流心にし
ありしくまなれ物くかたにへそ世とも
根ちくゝ伊勢の物語　伊勢の斎宮に
下着有しに了佐ちて伊勢へくらるか
伊勢のみやこ所ともいふあるゝを
あそふ事　能くし　越なるあなと
いふことふのからや所れ　句ひよした
かひく付へ一文明の在りくり
ありんうきてもいつ目是をみ在白
葉目と一車いくものみりね絵ふ

御くからうたくなくなくさせたまへに
さよみのむせにとさいとう絡らむ
はやきのとかれくもとうかせぬゝもの
嘆かなるをにかへるまいもみえまし
るかれくうきいまてそ源氏のはなに
寝くくらやんたにまて、
けるわかすちつるかうよう人ふれ
さのおひ梅くはやきいまれつらう人ひ
もうはやきかよれ西す、
ちつるよめいそはくめしはうはく
うらむるまつはのかとはかうめまに

されは四月明岩の道のかよひち
かもの祭をはなれあへるものかへし給ふ
は葵上月ゆふくれはさうさんをく
なくらみやまと所あやきこうしみえ侍ほとに
うつしゝ葉やなかやこ事ゆゝしく深きの
さ面すれはやうやくましひさうしく祈りは
かしらおもひ風の一一ての時葵のは
みつしるみやことのしる葵はれる
よさうつはたまはしいつけるを
まうしはみやと前の流れに伸くまうて
しらすねとうしくれ松ちくして

若君むすれぬるおのがはよめの心ばへしく
いふものかはいくころさひのさびしみな
人のとやきやきさんせ门のゆさゝみてむ宮
ぬみつまつ君をもてなしさく
目をおくらかりとうりそれたるやの九日計
首くく母后と紀よかくれぬる所か
秋かちのくなれどもこ源氏か君の父の
右れの面へすしわ絵のたえかゝかなる
アよくるこきまやいに陽まかう申く
ほりまくくうちかつひう申出ぬす
つ孫まやまい晴月とう申りく御使ー

おもはゆきかやあはれなる事ども井とゆかし
さもあるにたゝそ入なれは内へはせやりし
けきはにうの君のちからもやられぬ室
そらにしくかへり絵へとゆかしふひ
やすとおもわたつゝ書の筆なれともうひ
あらむやうのそらわらへとおもく母
君同じく紫式部の作よみのうら
思ひやる庵へさし山寺参籠の母みやこへ
源氏のおもくなりて相室の作門の作いもう
とおりつゝ八月十五夜のつきのめかりてや
いふころわくめでめでとくしく花りすゝし

あさましたれとものから世はうきものゝあはれは
そのひとつくしてはしめつゝ鳥羽殿へ
おくれぬるおもひのつゝ集、世の中を
越後にころおんそう　むまとの給
時そんのまゝあれらはかれかつゝけるは
一、秋の別なとくいふなりと付つし
さく四十九日をつく源氏をうち殿二条
院へ遣はしたまいしまいらはなめり
御かうゝうめし源氏の作年十二巻上
十六の年より住すれぬひにもうに
かくれぬへき何故にかく候おもくのかもへ

も信みかなれはまつ吉といふ山の紅葉
ちゝ紅葉まつくさ紅葉へむつよみゝなおち
しのあはれさえけりんやしけし十月
のこりあれしゝ時雨あめ降りくに今さる
間ともかきとおはいのつゆのいろひしろ
家侍けり世居たらなとやすくも神など
来りつゝ源氏もたはやめつくなおいかゝ
なし思になりけりくへまゆらむよ
さうめむしきこさのとかけきへ後ハし
たゆしへ忘れてのかりにし見しくとかゝ
李の見えなもちかくしくなわかふかまいも

紫上十乃后年よりからまでもらくくうた
うゐぬひしかいらまいはまるみさなくだとし
すゐなりぶの形君も源氏のとよりあよ
おかしゆしたる一こよい物絶へしく思ゐ
よしのとそしぬふ行くこ有栽紫上ヲり
新院あやまりて沼の和源氏れにしやの
催光をとめしるのぬふ飛う今宵はいの
こかいまみおりあとの贋もめしかも
ちいうくいかきくにあしくくさうつめんるま
すつしせよとおか同発ける催光義らく
永の志ふいくは往つゐるし将ふさ二のひ

とうまちるゆかりにまうあるところにみるを
日暮らしさいやたらぬ君ぬなりにそ
さう侍やと唯覚と心まちもうておほかり
ぬさられるそけしのなひしもこよ
ちうれしき心に勝花いねの日ちわ流かた
いか日にうる二日の葉ふかのよあおき
思ひなる書か女房よあ歸りさ二日の
世なゑむくはいちふ遠き指しき
頃いと世みとつまあれひかとれくれ
さう観ひくゞゆへなかひたる折婢なれば
おとくちくうまこへかうしやと谷

ちかきぬひうまこうゆへらをゐきさ
にくく億光よりもやうやくのたまは
うたさのひく何とかひはふらぬさ
なるねるふかかこてかひはふこうひ
とりとやこよひを一きんよりゆゑに
顔はよしとくるへゆきてかねあ
れとあしきちりよこうの一よてそ
あらめとの乎国へ皇后のしろあらし
にかうちとものよりて梅にそみ文光よくて
うみのちらくすりしたまふ女御書の宮
のらくゆく一小無上のはちめのなる

ケ様ハ都へ斯くてけれハしつるや拙つは
志あるを追よと思ひくる娘乃赤比君と
云ひよりくさしつる怨たちまち涙のあし
たらいあとありてやされぬるも――やらぬ
中心指のなみ哀ぎしもめくくたくも思はれ
その久ゆの詞 ま〻一 三日此あの餅
はかなこ 詠のこ 軒櫓 ふれくて
ちさやき福なよの心より付くし蓮生の伊
年十五歳此ハ十月ある日思ひ出し
〇七 柳よのまきはつきさとらす事の心をあらひ
乃あるらみてしけるふ案乃ゝやまと所せん

れむとて絶に舟家侍所へ下りけるままに参
よくさましなりけて殿の宮よりむかふ所よに
さすらふ別れをしてすずしうこさなき併
勝ませてくるつもりふ名残も打ちく思ひ
くる九月十六日乃葉月のころなさう
かくやよるはしのあはれなるに思ひおはる
あるは東乃こみひやうぶちやうつきたる
ちましてが乃路乃宮よ源氏さま
ぬへと田舎めさせたるをつらきおもひしか
よしこの小黒木の島みねさひらかあげ
ちらはもつれくよ吹しとてくめば

秋風にしみてもの音にやまひたる
ゝの絃たえてくるしきこゝろ[illegible]たゝ[illegible]
ちられかせの小くゝく侍めり宿もせす
室にあかなもきく[illegible]かきみれいく
ほそなもひのふひきりめく[illegible]すいもと
余所にくる思ひ[illegible]よりあやしくも[illegible]
ものかとみゆるたちを[illegible]もいかぬく
おほすめる[illegible]のはしきをいさうもよ
せなひゝ[illegible]乃ゝくはへしもの
めこやをきもれふかかやみえろもみ
やかる所よりみえぬ

誹かへさへ去はしの松の葉なかのは
伊ふかすへくおれふ侍りまうし故よ
さうなのちまさうとハ手梅花くのくあ語代
あやまつ卑暁をくそり かきゝせつりたふ
三飛乃酒 分月夜 小倉酒
暁のまされ 園其の名井 枝出
あさこもらう 秋の草世まし くよみる
むかの香 鶯康川 余振ほく
八十帆の唐安 あれくハ明宮なくに
付くしふかし 根の花ものゝきゝあぬ
まされの月をと侍習のことにようつらね

けくしよかすさとよ中門十一月一日よりやく
供させぬる出雲の女院を十二月よりは婦
おろしぬひつる入道の宮と申しし時より
源氏いふもにぬれめくもうくおほけ
て藤けんかちふる世もむつくあり
めくる内侍めのこまふの志よあり
まれける九のすきに開戸へあまりて供仕ふ
さ井ゞ義よあや宰相もとまり伊勢なと
て何へのつくにこまわつかの所門にあめのすさき
にくれ侍ぬかとよ

やよひ

○八 花散里といふ巻をよみはしめて 京極源氏
中川の宿を思ひくおもし御ぞの
道すから所から忘れたる手むけをさへて
うちはなれて入給ふ
橘の香をなつかしみ郭公花散里を
すきたゝをまうらふふのはのつゝ葉
五月の夜にふくるつゝ去 橘
宿のかきね それは 五月の比のさや
なれしむつまし付く一 極麗景殿の影
ちくるかくゝ 源氏所にいはひよりた
まれひ一し 妹をめつらしむおもて はなきそ

ゆくかふ月影入もつゝはすゝかゝしみ給
はかちはしさよのはすよ
月かけの庭にれなゝ袖をせけくしの
わしめゆめ色みなやあふぬ光さへ見えしと
おほつかなの心くもしてあくるな
くは花ぬる浦に
行めくりはめつゝ後へも月影の出つゝし
くもらむ身る涙
○九 風靡にの事を月風にへ今も涙の中
見果菊紅のは位のとゝきこゆめるへ
まあひそめし朧月夜の内侍のかみし

あちやへ通ひめのあるあかきさうひあら
立出て漂泊よなしぬめよりもく
関東をして立なる諸ハ二月廿四日なる
三州の伊勢秋人のかへ村やせ
たかね植られのおもひけ十一世鏡
暁の空にて出羽月・花ハ王通ひなりて
みおのつけの一つ紫の影あくまて以あみ
なおや子二つおもう寛なるおもく
よき父母よりなりくにそなしあはれの
仲小し心うしなしおかしなくかりて
ちみしもいのかやもて絶の根の代なかし

なかりつまいはるの月日をとうさうへたつね別
あらぬさせんしゝおもかけのみうらみふ
頭中将のまなとさし伊予ふみのやり
筆硯給ひて手にすりゆひよりふれ
こゝろのうちさらぬかたのかしこの時のおもひやり
おも屋を給へまうれたのしうあてにあわれ
くるしせぬも見てはうれしこのうかまふへ
あはれやうりや侍あまれたりわきての身との給ふへ
思まあらくくてこくて天地にかのよふいと恋
のひらくくうかまむ宗ぬし
―の斎
ゝり

〽月ハ如く雨降すへぬらへ君のあるを

さて〱也寺見の新ハ火を用まし

〽起てさきのうもの此み事

〽日の挽ても〱から実ハ曲ふ〱用ゐる〱地なり〱

か〱兄ハみくゆかくさゝても

かゝ兄の春しれハ哥見の鏡　酒井

の乏流よ付色し梅ふ成る出なさへ

濃武松をしるす名所は跡さセむ村と

はふ由侍勝ハしく申くゆなむしし　濃武

〽あふせなき涸の川よ立へつらし　雁

なる毛し見ゆのこしめ成侍し　半

ともしあふみの尼龍華の法音寺
は潤ふつむら月の清ぬ風あらし好
ほかの西をさまくひて霞茂の隣ろう
さりや俊つるて、
引はれなく發子は世示めは
好人は流し物のふるよ
さそ西よりありの浴のひく風らは
おのみ沫よすも由申ひ居そん潤民
引きせをいつ宣ふ呂よつ渋く陳姓
ゑをそはまちのちはよすら報れれ。
梅吉後の派ん〜すりあみつしら。

先達の書く事をぬひてしまとつくも
やとやぬくとよいものたいて心に背極
なすめめなのうゝすゝて、先達の書
たゞいまくあるい物きさ無の中を
ふむきうつるひも帰しくあるゝ
源氏まるゝ
別まつよ物きこゆるは唯さまに
まうかうさ世のうきさいま心のるかくるす
故後の心とらへまうぬ葉を梅くら
へなる月なら何すきかく華の下書之
をかうしてめまれなうにあくや

後の世のあはれをしりける人の西行法の
こゝろにこそぬうたどもありて一ほ要
まひの作弟もひ歌のことかく会佛前にて
ゝなきさめけやへうふらうむまうと歌
月も雲がくれぬる明まてはなれぬもいと風
やすてかはりぬる国しくからわの比ぞ人の
青り後ひくらいまさたる人よ紀中臣に
撫月を宿る二つあるをとまれ撫源氏関
片へおもむの世ぬの御そ豊の上のあはれ
へやはやもらぬ源氏
いはふ世のまれをまつして契つはら

命を人に限りあるか、かなしき業の悩み事に
たゞしかも命をもたしく月のものあり
別ををしとも絶えてかなしき涙の残
思ひやるに無き道をつらねて村から雲に立
恐ろしみ胸も苦さはさわかさし別の
悲しけれは昔の昔のあはれ
民のかまどにあらんとてすゑもぬれたる
のちのちまでもうそくさき遠国にてつゝみ
ままにかよふかなしみもいまゝ
故郷は程ふりにし絵ひて関相よりも
舟にのりてゆく、関広く一日に行く

なかふ二月廿四日ありき是よりあまたの儀
あり梅須磨かく　松の柱　件の
まなふ　古のよしなと御かへりて申し
おもしろき庭の草花立石若木の様
なとうちつくしてきのふとし見舟あるへし
去ほと左様ならは関戸の方へいはゝ候らむかたなし
海ちの便船あれはそこよりかれ出むと行吏の
中納言との浦より流されてしはしくつそよ
ぬらふ人あれはなとく旅せし内西国の
いつの前くさし候ん程流るゝ事まことに
山より東の方の寺へつかい候何事かありけり

業と高麗をわたりてまかるとてはべり使
しなれはあめにてしるしを見てはつめて使
ぶ山家の唐にまかりけるしなくもはべると
かひきりんとあるひと人とよみ給ふ
もしはかくるかりよまするめかとゆくに
故京へは使うとしおもしそうしての都ふ
此返事とはあるなる文京まるもは使ふ
ふくとはあり中ふもはりくきかやまきすり
御機嫌くるなる男やよもよりつれつひ
あまる京より人はけりひふ一日けきすき
ろ田ゆすいかとまする

うき世をふ備ほのあさん思ひれ
もほそはふ思ひ聞戸の酒へ流使
いをうやうをうとく流る給
そこのお語をとさつかめうくあ
ようこ思室りこりのみの問
こよつはれと
ものくかと
すまこ節
うきめは倍馬
むちりのくかと
れちりのくかと
古様をんを所ようのみあり
より海秋小もうりわ市せよう
秋々物あもれよるに心とき風のたひ

秋の夜思ひ寝覚も寂しく独り聞え
たえて四方の嵐を聞きしかも涙たく
ありしに立ちよる浪も須磨の中納言
きこえずここちも絶え――も思ひ合て
なみだあへず見へ初くて枕いとうき
ちぎりありつる都よりはるかにすみぬる野をも心
のちにいつきこゆ夜ふかうきてらく
みやこへこそ関の風　友よる
初やみぬ夜　武者の嵐　関よ浮枕
月のかげ思ひやる関戸のうちそ須磨の
心ありて十五夜の月の影を見てもしのぶや

かなふ一色数上の趣無かりけり二千里
の外の古人の心と謝しけふ松又声の
声の内やとるあなたの木の力さる風の仙音極
いかにも世しきみ松風としいかにも松その音も
ふかくに松風よろこふまさせい世の所なる
瀧の音のすこしくめくるにも滝と滝となる
ゐるふ心声言えしめて世するかくしくなる
人あまてひとさとしめおしとそきて世
心あやてしるあの滝のさきゆたかなれ
おもしろきさましやさとりの清浄なれ
五音の声はむかし源氏のあひにけるかな

本草木賊の娘なりけるにて生年十七
くれぬまゝの年の春にもなりけれは
此櫻もさかりなりし一年の花の盛ん
まて思ひ出し給ふ梅蔡生の御兄
孫牛物源氏陳虔渡しけのゝ胡
なつかしくゝめ庵の下しるとも
あつらぬかく風よあふるゝにへ
かゝをしと思ひしも霊しく陳庄へおや
しやすき一夜ともなりけしかゝるに給
詩思日藤くし詩連句前かと清く
まかめさつきやすく縁のけまりつ侍

ふあまひとうひ侍よあ筆かの
家をこ了の御をこて侍溝氏
欲をい浮世の昔よりめしをむかしむかし
浦山をつくるまゝ鷹つ部まゆ思ふ
色まよ得よもをさし頭中将ます
あれまよ了のとゝ世にを別もあ
都よ過ゆすよもへ今まこて御根中将
うかあふ源氏うちをみをたかまさ
ぬひて取見よとまくつ絵たい御あの思さ
ありかふさを夜乃間　都小てさへ心
同一調　雲井よ住ます　くるゐ

此月布恵　閏あく　越の盡
異らハ覇中おわりてまよはみの言
藥なりけるよしにて三月朔日よあたる
こそうもゝ巳の日なりけ源氏流されしに
三月廿四日を巳の日なりとしるなの
ゆふあしき日なりとて海辺へ出ぬ
庵は用意そのくすりやうーかれ
うゑまれはひやしへおよりもをくふ
されけれとあるを寺ーさへ人なと給ひて
流船よせてさし人ふるを庵によるゝ海
舟に乗せゆせて流　伊勢の人の船あそひ

たゞしくてちはみのゆくさきいくらもます
いやまさるれいたしひとなりはなりて雨風
吹くにふねあらあらしてさしさき
れ毎よしくてあやぬるふむちうさ夜ふ
まきて人のなかやまぬつておも
海の面はあやそりぬめつくしも
たつしらみちきく海そくの跡はお
らあゆる流ゑうしせんて人の家しおりくく
おけひてあらゝ見人あかりめさ三月一日
よりは十三日やまて下りやうあわりてく
十三日の暁おつまいておかくも

落てあさましきさかのふねをかさなりし
ふく日数をかさねてあめかぜやまずなわわ
かたくのれ使ありぬまたせよとのぞむ
くろき従ちよく云井の首へしこと業
中よわれぬ
浦風やいふむかしむかし風の袖
うちぬらし涙さへこそしらるる濱
しるかなかくれなからてあらくしく
おそろしさ住吉の神をおもひき
わんしてはおもうに旅あしよう
少小や雨風もやまりて雲消えても

みやこの外になかめしつくすとせしにやと
ろふぬふねは後の音あやし浦又吉院
源氏のたちはなちらしし須磨の浦に居
てとのたまふみえしかはふなわい後
のたまふ事にて事を有へしとなり
まへ関のもの雨と云事をあれは夏なり
はつかし見え色まし

○十三明石の巻源氏須磨より明石のうら
へうつり給ひよはひよわたるあかしらむ給ふ
十三日の暁発えの沖の世を
詠しけるはいはれてやとの事なり

小舟二艘こぎたるなしこの海はいよいよめす
あるこ舟ぞやときけば○さながらぬふなりけり
此船宿よりいでて舟まゐらせ守
なる郡より下りける君の所せまりけり
播磨の国の明石の入道の方よりの
舟をさしつかはすとよせて此舟よりめされ入
道の宿所のさまに出会ひてあるとまうしは
らくありもなき体のなりとて惟光して
申とする源氏の勇力有りけるか
おとたつるなくて惟光も義清も思
小船をしとぞして源氏はやうあての舟

手めして明石へうたやぬふ源氏
海みやすみ神のまもりけよ　かららさとき
塩のあはひよ消や果まし梅の舟明石
てしたかさふ入道むかひまつらひ
かしこきわたりく家所へたてまつらむ
三河の国むかへの舟　たいころ
舟て　むかひ風　浦なくひ出しれ
あし人わたらぬふたち見まて来くく不
乃時乃きつ一さ流れて書つ　廻り候ふ
色の都の信濃なれは隔つく　江やよはら
すゑくめやくかすらはまき山水立一し。

寿永四年もわらくくまうちおもひ散三月も
ほりくまゐき四月のなかれはれい衣く
かたやうおくさきちやうみつなめかく
たつやしくあくつめ御えゆきさ消しく
なしもつよせられさ入道いみしくめ
けくむきを絶一人ぬちたりされたるよろ
むさきみ巻よわたり盛め時おれ山
にくへのまそいうつまはい婦かまへ
つねよ思ひすなはちうちて明石よ付
おもひ思ひしつおて為つくるゝむ
むことをはやしと給めまよ夜源氏

関白かうしにたうしぬるを聞てなよ
たらのまりにはたまりくむつて
てりかゝらまなくとおもひ侍らふをと侍
哀もあまりれしや思ひ侍る年月信長か
神よりもおもしまや源康まさる源武
将軍しけるも義昭と菊隙は後入道
もとい夏をかふるまてあまつあれ
むくすつ勝きゝされにも何かして
いひあさて一まれめくは侍らまつりて
いとをかしくあはれなれ有喪源氏都
みさし二条院まゐりよわよしめて

ねくだにかゝる事かしこきものあはれなれば
こゝろをむすめならふ入道だちてのちはうみ
たゞうしやうの琴ひおもしろくまいりて
すゝめなむよばゆうつしきこえとのみぞ
宮築の事どもよみまゐりてまつりむすめいむ
王さやうの琴をとるをむすめことしみ
ひとつ琴をこきさるゝきゝえやむ
申しにたまはりし源氏の御ゆかしく
おもひてえいまはれ見るなるを御つかひの
詞くはしくもめさましう宿
思ふさまの御かたち明石にてつくしし

むかしの御時にも、かゝる事やありけるな
すゑ御こゝろざしなりける梅壺女御
のむかしの方へくはしく此御事は
右近の君の雲井に流れしものを
みかどの御心きこえさせ給ふ御返事
心ちあしとて申候て御返事は入道
ちへ参らせ給ふ
扇もちて杉の雲井に流れしをも
もひのおもひあまりいかなるにや
へ御返事は文は御まへのことゝく候
あるまじ

ゝあきくもの日よ物には世の中のふる尾にやいう
みとふ人もなきは入道いたくもきく絶
宝はむきも絶ぬ所斗
わかりんゐのらはやゝやい日はやすみ
みなし人かゝやかやゝかへ梅めしく心にゝ
ようそしかゝよう露ぬふゝ貴人にようし尾
かなしき入たるあつゝ秋の月中たまへ
日そらうゝ
あつ世の月に花には世前のか世
あは侘えゝれんくはみ侘てやさしき
日本の秋の月秋は源氏世の尾にて有り

たちまちに身まかりしのみはあてしやつ姿
ものゝふと新枕二三ヶ月とへ絶
見かへらるゝもしき枕ともうちとけ
想ひいとかうしける事さまなと
人めをしのふ涙の外に源氏
むかしはよそにうつりせん人の風流
西の方此世中いさゝかやとて浮世の娯
明智か妻は髪をきりてすゝめふくやいはいた
情ハ夏と尾人のやうにとおもひて
かよひ給ぬにも有馬みつから花
あくかれてゆかんすゝて都のうちさへひしく

たはふれにいひけるを
秋の夜の月毛の駒よ我こふるくも
ゐにかけれ時のまもみむとよみたる
搔あかし明石よ月毛の駒なと付侍る
たの宿も付かへたり又明石よ車
ゆふかほ事あるにもあるへしとおほえ
入道車なと作りて侍たるを又明石
ありにこそ侍らめてつからいひあへる事にやれは
あかしの上を源氏の君の御よ
おほえたる事よ姉よおもはすよきつた
すまいしまいむ人の口まかせてきこゆ

さて〳〵おそろしの一業平ぬしこそ思ひ
よしなき事をつらみて侍れなるよ
世のなかに思ひのまゝしぬとも恨まず
聞くとやつらきにかなしきの
みやこめはあまたさありなれやもとの様
ものふかなるまうしき侍るとこそすまうまと
いふ業平のためし
いふものかたりにも見えてい
松の涙にて之ありなと梅花娘の月
かはりたるすみひなるやうさ院
しきたよりめ八月は都へめしいれ

源氏満廿六三月より同廿八年八月まで
をかす須磨明石二ヶ浦にことなれ
別なることもみの旅ともいふなり源氏
旅へめくられぬるかな宿ヶ流浪よ
古跡みなそのひとめすまゐよりは
まそしはこなれき源氏をいはれとそあや
ちかき所にをきさいなれすまいへこかあそと
はゐあをいなかくし住居を見あり分
ぬふとくへなかつりゆすみやみたゆふ
又明石の宮へめつへ参鹿ゐよりて
おもをみすかかかりつまのさゑへあさき

きとよつきてたくさんともありかたう
かくよ御入さふへおにゆくゝすゝ候
これとも源氏のやすゝ母つかはすなよひさしく
あまよりさとは里ぬるとしくとおもひし
しやうをは萬かたしおともありかたく
八月廿五日まめし伊ふせん下され候
扨ゝやこんちうぬつくて
ゐ旅の春の花ぬるよときしゆゑや年
あかうしはつれめ合ふ猶文源氏物
よわそうる路終ふ哥ゝとやうしめしよおさ
まるゆえてちかくし入よらて絶ぬる縁

此所に
さゝ浪やまくの飛尺に葉ら中此あの
ちかくは、ちよりかゝりさゝるへ人ゆけるらし
かゝりぬふは明石の入道は事本よりあり三
代に侍りけるたるむすめの上より小ちより
ひめみもみしくゝろえさうみとよりなりて
常に古めの野にはなれて合ら見かくさゝ
ものふ梅らやさしくの人のみへきに此都上に出より
て苗ら見侍ひ入道よりきちみつより井阪なしな
梅めのくてふ家の娘の思ひちゝりやすな色
―入道も此名残ましくれのひくさい

まで須磨にさすらひ給ひし源氏もへとも名
残りしく思ひ給ひ梅明石の上に此須磨
有明の君は出来させ給ぬるに松風の巻に三
にて京へ上りぬひらく生上此字あり
るして春雲の薄によせつかはす明石
此中宮とはさし来るか又明石よ寄の箱
と言申有色は入道年月は此のなごん
伊君はさきをひし源氏須磨へうつりたる
ひぬるふさ一さの年はあひたる夢想を
うつしみ思ひ住吉へ祈しくめしく出せし　の箱の
入つるおさなきに木まで出ちの娘よさけなく。

是を明石の巻のうちといふなり又源氏
明石よりのぼりたまふ二条院へうつりたまひて
節かくて姿せ御縁ありつゝとも
ニさわるゝことは源氏内へまいりたまふ
いふかく袮ひまゐりきこえてゐり
人の心もしらなかしおやかて後をなるとも
内にはけるしく思召されよつくつく
若紫ありて源氏なりしよ
わかれにむつかしくひとつにうちやりかね
あたくさやうにかへりてねもころ
かくくれあかりて重ともにおもはする

一 家経卿くやしく思ひぬるに時ありあはれ別
春のうらみのことさらに又ありしへしのへる
深よはけそそれかゝらしも有なりく
○十一 冷泉為秀卿の老の後はくしと云井大源氏物
へのつくされたる侍うるも七力伝あり
あしたまり接の所の權大納言のありく
大臣のけれふいらしくゆくへさ修ふ
得須戸まて如久なりおもうつを菱め
さうしはまく侍吉みれちうひと思
石て秋のさうの侍吉へ参りけふれ心も
うゝ神へ申ありて源氏か行くく

あかしの浦はよにひとつ住吉のかん
神をはじめてこれ程はきこえずなりぬ
おのつから明石のかたにも春秋ものより
おもしろくよりあそびてしのびて住吉へ
つきぬ山の端よるをさそひよるもふしき
須磨の浦にてなにはのふかきえにしにすゞ
ねて明石よりも来かはかへぬ浦やはさてぞ
松原より東たてけふまてはいうかなさ
まなかしく浦の来かたる見やをかし
ひとつ難波よ舟わたしものせてたゆ
ねさめのくさ内の大臣よりのよき

いふ事にも人よりもはつかしめられなきを
身と思召され紺綃のまとひをわりて
至人ことにのつよ車ひ給ひよ人とゞまりて
たまいし剣のいにしへの雄光の車もく
まゐりてがくしも申されて従くてまひぬまは
とくちまくさひぬふあめのさかくな
籠ぬまい今まろう都銚波なるゑ
ぬばすく
かしつふ本着むくわをかれひーつぶ
御用なやとはひて雨さしし持た
ふつみしのさ篭硯ぬもして牛車

めらくありたゞかゝる源氏
の君をはじめたてまつりしに家ことも
紫くまあしぬるえぬは不便なかによ
みて行はたちまち侍るは明石上
の姫君てなかなめつこともかいおさなよなよ
さはつくして思ふ紫上のかしよみゆる
しめ女三宮はよそめて紫上水車など
冷泉と云事みゆ柏木めくりあひぬらふ
なふなみの母など云事付くし梅もあり
まことに明石上那衆うつくしあらそ二条
とのまれはみとくるつり行の源氏のゆかりよ

いはしや神よりわけゝ乙女みつ女なへ
うあたるいのあひさゝき金道よろしあす
陽ある清水さ有様やあその君あり
社アててあつ徒の体あたさへあるみはす
アまのつ宮とうけ待あつくみつ[illegible]
天上細　いよみのいはみのあさ
関ちとうよあさきつらる書あいは妙君らん
ぬふはのみなみ山巻よ朱雀院おり
いそ鳳ぶふほよりて前来ち京へ入な
ぬふかとまほ六条乃御息所も乃同なた
わふ桜かとなくして御息所の同居なし

らひ給ひうます物いひくおほしかなしき
あまの小舟のりつゝ源氏物かたりよむ絵
ひてをよ花つゝ小松とりて消息かはそく
にうきこ宮にはいつる秋にはをふれしさ侍
息所の御ふみ御心まかせ中納言中なかりゆく
さるところ給はぬおくるとよあはれぬ
よめいつまやのちやうにのかす見えにし流
もしもの内つゝえらむあかつの葉をおもふもの
らすみ絵うき花ものきに金衣にあまたく
つきのうらしくしさう侍るに中なに家
みえしすあるれはむまつまはしへとも

ゑへをくのなふ源氏も若紫此間に
洗しもあれども有へこきとの給ふさても
は息所七十日斗有しも有しくなり侘
あり雲みるおもえくわしくあらふ見いふり
新家の作有さ夜のまどふかき見えぬる
むとおぼして源氏の使みるく匹ぬの
六条院は讀ともむかし堂為めの見此
めうもさまかきうる見
姫わみそれにすて室をちかくかん
あ色のけなる世箱ものかきあはせ
手わひ為の筆のつもおよきせ見

ちりさまさらつして、
きみてきあはうゐる事殊のよき
くれし歌もそれもねたまへぬ世に
ゆく事をめでたきこゑやうこれとくゆく
あつくこゑう法、新家いせんまつりの仏媛
此息一所のなさるおりさ山本よ源氏とりまき
さなくおほうして、冷泉院の世御よ気、
らおぬゐふ様つかとこさて絵合此右
あるべく
○水草の達生あめのを蓮生とも若紫
なかひ末摘花の事とくみゆるし

兄めもろくちなあそびめなれ。めでめしらず
ありしに常陸の宮の御娘なりけり
源氏あそれうそしてこそつゝ立よりけむ給
へゆゑ須磨の御たひめなゝ小に思召を
出さるゝ給はでさきゝはまよ文宮のおもむきも
ゆくへしらし此風ふき立すゞろのありし住
居まてしまふ御ひゝき浄土をまちける出思ひけれ
ても蓬生の御方へ又風の洗ふらり給
よさ又月の雨荒ありくゝよりさいしも
守きゞ蓬ありつる荒たるし常陸のみや
住もと御代の人ゝ中に盛へつらくよ思召し

今入給ふよしさてさかに御さけ候まゝ御覧
をはしけて給仕の人くまゐる也難ま
て御ざ候はちかく御て入給ふさう候より
あられしからひく庭の草なをしなしのけ
はなくし所にはくろき分なかしくる二三
年あひこゝ三条院の東のたいのましは
ちくぬしをかしふすくてかへこく
なふさうし事なくくこそつくをかしもた
ほそらしありゝを所の弓よ深氏
御て色難しようやう道あすくあてす
よしまさのゆゝのつゝと逢生小小難 覧

宜たるゝ宿　さつ孫力位なとちか付て
本意も後の風しなりて文章もあるな
ち侍りてさらにつむのみとゝ侍りて
末精花によりて風流なるものなれはお
とゝすくゆへに人々まさか所なるへき
しかも末情も此しみしかしらく人
俳諧の不易によりて下ゆめさきひたて
まことそしなはすてくるしみたゝへしなき
有様なれはいかあらぬめたかれひ
行とも此事まみえおのれくるりまうけれ
そのわらへてうめきして　おもはるつ

へゝらうはうしく〳〵くゝぬ九尺ばかりなりけり
給へくこたへにとなして小侍従になりし
しかも事なれば絶へ給ふ。
○水車の関屋の壺せちこちやとゝも源氏
石山にまうで給ふにさ石山みてむかしの
うはさをゆかしく人の常伊与介
常陸の国司になりて下りけるかも
のぼりて京へかへるに逢坂山によりてあひ
給ひしかどもえぞ侍らむかしかたら
思ひかけず出あひて昔わすれぬ心の小
君を見つけて文ありし源氏のかへりこと

見るつる行あふ道ハ都もちかゝれは
かひなしやたまたまぬ浦のならし
行とまりて七さとあふつさ関さとや
きく無清水とくやとろし、源氏ハ
石山へまうぬふ空蝉を京へつれと
行とくるみの関ありまの関 関谷
清水 行あふ道 逢ふなき
きさと見つゝきす関 是ハ石山関山
まつはくし。
十七 繪合 あめ事思あし露とふるさ年ま其
乃院門ハ源氏乃中の母藤壺北方

思ひいてあまさ給ぬる家立てにをもかなし
冷泉院の一の宮は桐壺の御門五
十にあまりぬる家にてさこゆるのなり
はいをおしみてかくもはくしか寿り
はえ勝同しかきさよ位よはりをぬる宮は
朱雀院よりはおほりしまさ家もおりし
すゝめきて春宮をあかまそうしとおもひく
おはしますを此はしめはは代すゝ源氏
弟もとれとそしひぬむもし。は殿上の
は父右大臣殿摂政とさう給ぬふ何す
をはのかまいし給えてまつは孫

此ための義出きことなむ申しけれはいつしかいぬる
源氏のよひぬるにしも六條の御息所の
御娘斎宮にいとゝしも我なりぬとて紫
にくき源氏のかたよきにつけても人気
らせぬれは力なく見しみてそ梅つぼ
とゆへ桂に后にまゐらせ給ふに御門萬此事
あはれも絵ものかゆへ給たまふらめくらわ
こなた御絵とあはせてまゐらせ給ぬれは后
三月十日ころわかれ給ひし、力なく宮も
姫君つゐに二月きさきてしと御後つかせ
左右にえらひて備あはせあり御門

はゝ宮清涼殿のむねのひさしよりて御
座よりおりて西の方よりうつし給ふ
華かゝれは此代官として女房を二人つ
かはされたり心ことに此うちきこしめ
されいふる蝉中納言の家かうち申の
ありなんしぬくちく又ぬひ
小春梅はゆかしさあはれなる源氏のはつねよする
須磨明石は二の絵をかいてれきと
あさ夕花ちよふりて右かちぬふさし須
明石の二の絵は須磨小おりたつへし
聞ゆつよくはあやうまさるは紙

小倉のみねしきこゝろのたゝまをひをつの
ゆくさきもしぬへきそらなれはまつの
いまさはをときぬへきいそかおほつかな
ふるしいさて僧合と云ありこの僧は
まつよのあはれあまりにひしても都への
ての風をおひてぞ業平よたまつの
風のありぬいさこし遍昭をよめる定
うに出されまうり素性業平が三
の娘とを年ころにつゝ小町僧正井入道
早三位桂風小春まつの衆とを中源氏明
召まてしいつゝさし法のしもす入道此娘を

思ひてたゞすてやりしとは擬しても
このほど給はる明石あたりにも
みなりそこなく月日過ぐるに二歳
なりぬるを國さかひ論つきたるよしつけ
くるあらしく思ひて浦へ使ありける
上りぬべしとのたまひし母
むきうつてのいりたまはゞ入道の小
のかゝ大井河のほとりを一所にもち
たれそめのあとやさしみよものひく
しても吉なる家ちとしめりいもてかわり
京へのぼりはやからむきこうつしむかし

大井河のふるさとに住給ふ年比乃
使をは明石へおくらむとも絶をつれく
のこゝろからも思ひやるはかなかりし
むさ絶にゆきてこれむさし三と縁の程
袖の上の玉をもてゆくしつかた
ちかくなるみなとけたひめ君にも
も日にまなりてまくらも年とわかれたまふ
いけの世にあひ見たてまつるへき
と宮殿のなるしくのよえんもこなし
されとも都へかへりしぬへしにめてたくれて
ものひたれさて大井川にゆかまつさ給

これが河原をとて松風はこの都卿
をとも見えさせ給はぬくあまた侍れは
源氏あまたを出し付てさしてゐ人とし
挑ふみ給ひし方ゝ御名も出し まこの
引きさし之この給りし人とて 兄かはゆるし
小舟さすに松風なりけるこそ演ぬるもの
物にも松風の巻とさや大井なるに
えて付くしし桂殿のつふにいたら
をソの給ひしくるて月は三かつゝ念
佛あまたのたるに給ひを給へる月は二
女の奥ぞなり御本意は大井あり

住ぬひしありし桜のはなさくころよ源氏より
あやしめるをとめ人ひとりとまりしとつれ
たりとく例の月見けし月よ二三夜
乃要事なる小大井の御すまゐし
姫君三歳小さくのほりぬといふ事なれ
小かつら浦の名残の琴松風
桜なる小付之し又若菜小鷹狩
とう年あまたおいかれ秋の比源氏すまよ
条ね給ひく例のことく大井よおはしけるに
且さ殿上人おほく小鷹かりの御供の人
さいはひあれは人なるとも心あらく御まへ

もろおもあろなれはあそひぬへきに小鷹
かりして小鳥ともおきつの枝に付たるをと
おりかはうるはしき萩やしいろいろ色のえは小
まといつえろし大井川のえたに付てし、

十四 薄雲

大井の冬や落葉もいとこゝろほそかりやく日の
宮とやすくしは姫君のことの宮の心よりおもやう
みけるまことはいかにおもひなけきつけれ
そらにすけれつゝもれつゝゆきかえりも白浪姿
かもゝうちなけきよのかれはこともとしみまそて
なれ年十一かくえみつくへのまゝにしよは
うせ給て宮やくなりの家の中宮よりおさえ

のちんしのしかゆ給ひて後にしはる
三月廿八年廿七にくくれし給ひぬ御名を
天下にやうやくなりて門をとぢて後はまうさる
あまつかみのしたまりまつなかにかぎりみ
うらおりひやらるて年人こゝろの世のそら
かなよしみにしつゝて思召なけれは世たまふ
けふそれなきすてそまれぬむしのつけゆ
つくしはいふうなる世のなくなりしをとむみら
さらしふれはとなりぬふたかと
そことなくしくはつきそまはまつか
て武の雲うすくみなきかくてすうれし

の名よりはひとしく皆人
入日さす峯にたなびく薄雲は物思ふ
袖の色やまかへると云ふ歌より思ひて薄
雲の字を云やさしき女房にも薄雲の女房と
申名付たり薄雲とあるはうつくしうやさしう
もくるしく女院の御名なかと云事なし
又此巻に天下みなおどろきて月の
ただ雲みだれてまよひもこれしも有る
事ものあはれなるやうのおはしますかけ
も既れいのりともおりしも女院の御
りくさりしかれ僧都なほやあはれたちける

いくさ事し給ひし人のきこゆれありし一門を
源氏の末の御子にておはしますを一さいの
ときはおやかたきとりをもつことなれば御や
のちう幾さまたすけてくるしみをてさ給
あふらさてうやうに天下をさいやうなる事也
ゝよう儀式まで給ふよりまでは門おはしよ
おほうつむ思召てきこし召代源氏御ゆくさ給
給ひくちれいくろしつむ給へとおほせらる所
過ものへひつそさるゝと侍らぬとしよ給ひく
たえひし出家あらし定さしも給ひく後より
世さ流れよりくたしもれいかなる御にほく源氏

廿九乃れは年後のうし染のとしにいたん号かゝし
あらせ給ひる千載集といふそれやいかに
千五権なめすたおさのほと筆節やいれ新勅撰
とそてま御作乃宝れいれむすめ新續後撰乃
いつはりくれいもしの薄雲れ巻あり
おもての給ひ給ひて前新勅撰とよミこの
新撰續後撰のいはすおほくさいしやすらい
よのいつおほみうらまてもれいつよいかけく
とかゝいさ給ひもちや中のなさけ
さよれぬまとなとめくもしとこさ出こさ也
ぬくともゆくしつまくて侘しみ候はゞ

別れ行をみし霧にまよひぬる槿の花
かろさしは色やうつろひむかしかへしかな
しもぬひきりてあさつはの色ことに
やおりのをとなりては猶おなしみ家
とあいすこしぬふめそのの宮に住ぬふ
若草の声しけく露ふる源氏に
いつきさくなり槿によそのかをけしからむ
はなさきれのあやめく源氏にのかのかわり
みちらや給しつも心つくて我にあけ
みなわ給ふ心つるさ程さしすたぬみ
けくし

四十六　乙女　はじめて乙女と言ふ事　蟬丸の源はやめん
祭など言ふ事も大内にはとめさせ給ふて
此ぞ霜月なかの丑より内の女房たちにさ
せて天人の姿をうつさせて舞姫とて
大内にて天下一の人のむすめのうちから召
る。これ源氏つくりし発き給ふ年いめの
惟光のむすめを召し給ふ。いたつ舞姫てきも
めでて、その名御返しして青康
かくおぼしめしよりたりしし女毎
むかしの人はまれなる事あり
人のいとこれもいさしい年ありぬへく人と書

てまりをなむあそひし、
乙女子のかきたる四つ目六は、はは仲有のふよ
世のなかはいへどもあれどもよるにならい候、
しめのまきとや故は比修竟のむすめ、
大内よりうち侍るよろしき事ゆへとて候
なり源氏物語葉上ねむごろの書き
後をは文書見えわとはしきの書もら
はしみるれにのしあまりつかれるものうなん
ぬるくるかは玄葉しめかこおの哉 なかれ
かみ紙を付くー又は書きつ来書の本ね
十二まてえ厭ひぬるのこと呼ふ様しちの内

大臣の姫君中宮になりたまひぬ　祖父の右大将（祖父のおとゝともあり）
のむすめにてまいりたまひしを東宮よおさしかさき
かいよあくいよもけしく母いぬふほゝし
さめ姫君もまうはいますさもつかひなりし
これ父中納言ひてあるよのほゝ姫君をは
これなりしいぬかさし姫君にくるゝ給ふ
右大臣の孫さへ絶えにけり
東宮あもちよ雲井の局もいやさし
めてゐのせいかゝしとおもひて祇園のふ
をさ水鳥宮にすみてふらし思ひやりもつゝしぬふ
御すゝ藤のうへ紫かいあめおはします

むつてよらぬのく候くたつらかされみ
言葉い ともみの鷹 付させ給 備應
あさなかよかよのいつく いとくこなと
云事有之 文二兩よ物書ぬるらぬ
さしの井のかるゝ候のとめてさたら
て大学かれの比にゆるゝ六位にておえ分
かはいはけし姫君さへ春宮よ参り鏡ぬ
いもしもぬいふつとりめしふしやかうつよ
六位すく世よそとて立しちわきい事よ
らわて付くしいるにあかつきあいくゝ
なまよいゝそつくみり果報の大将のめの

まろをとは雲井の鴈と云ふまれ せとふのみ杜や
又はやさしく源氏の君の東極まるらに
四町なしたる六条院作りしてひろくせめかまをて
まゐのかよへきこゑしつゝみなし庵なし作アし
なかなかの町よは紫上みせ曙ぞたゑ
秋のへは萩のやまれしへしらしと梅はおし
さうみれいるとしやかは南の町よは夏み水
もろとそ花散里とこさしし卯花さやうひ
杜丹なとうへし花咲里のなつにふく
おもしろうて橘咲とやは六条のゝやと
所のけむとぞ源氏の御座しなすいは 姫

なれなる西の町に住給ふ君はいとやさしめでたふ
はみたけれはよの為なつかし君秋のみをもてなし給
へし秋の野なかにことなるにしたしき本まよ江
ゑふもとをもしろし此のなかさよりあはれに
いとけうきをやすめかしま中の町よりあそびにねん
わかうるはしさきよをいせしさうはしめふ御
流水のなかるゝところ花の錦一の宝也
名木葉もみちの松の雪のあしたかすみにたちそ
まししもあはれは心くちめしよ春のとく秋け
ろし千種めにさしれ世にしめん　へいはく
花信よもとろくの霞楼のうへしてめでたし

秋ののゝくれの露さへ比のかはあはれなり
色をしらしろおきは常めつらしからぬ
紅葉散稲のあをいはしいのちも
そてつゆけきよりかなしれはあはれむ
らき訳の上はめつらしいはすゝ
「心つくす待宵は我やあの紅葉せぬの
待るくてしみなとゝみえくさくつれはあや
もの桜の花ちる夕ものゝ紅葉なとこそあはれ
うつゝのさきの着文字上はみ方しるゝはあらん
世の中秋のはかなき年はみもくされはかなしさ
まさも花を見るのおもほえし松もとしらるゝて

去年の春ゝかりてくれはゝもひあまりし
胡蝶
花園のこてふや下草の秋まつむしはう
とくみるらんとよみくるふみにけれ
まつのうちなりしよりうちをかへるにや
しせのちやよりなくさみにそきこゆるの
ものやよ文しせなとよみけり文せの花も
花ちる庭の雪さそひ四季のおもひかな

○十七 玉鬘

玉鬘はしめをきそはかしつもとめむとちよ
瑞兒たくよりのわかなめし さた近之
けなの花もしゆくりあまりくる源氏の下なりし
かいむすひとりてそてはしぬもしつもぬれぬ

む紫上いかなるさしつかはしてろ給はよかし
うゝしひぬひくらのなからふる
ミつひろしふかいかれ給のへらむへいか
なれなしなせ露さへぬへしいひとしもも給ふし
よりてたまはかしと云也けしむろくしと云を
ゆふ給はへ上のかうしさしおろしくいさくさきぬひ
しくと年をもかはかみはるは匠へかならいさこさ後く
くせみぬふはしあへりくこさ見をしとー
殿のよみまちかへかつよりあるそ給ふかなかみり
つゐひ給ふ本意いあるといさらくしくそ
いとしたくうかめ女帰をもすてゝし遂

如意宝珠のいさゝかしもとおもひよらぬ
のみ如意宝には年四五才にてちらくとらぬ
つれなき下女としてめみるも隙なし
けふよりまつ後よりかくらからうけなくば
さてまひ立後程よ京への御せなしせむ
きする所しなめみやの男まてござれや娘
不承なる子細有をいふよりひとしきもの言
まゝ申しけるはいはじ如意のなつとは父母
貫母は火水の上なれやいとやすくなれ母
よりおやうに我人の名もまかやすくは父親ぞよ
そへくとゆくしあひのきしくらく田舎めてまち

あれ給ひしかとあさましうふかくし也
はたくやしなはすく死なむ事侍るなら
ひの國の守護つひしよりてさてゝ日
まゐらせてむすめをせしはしかくつ
うへしく継母よりの事ありてのちるは母
かくしらかくて聞給ひは實をいつくよりの難也
いふ姫君の許によ
りうちそへて臈せさいくゆかしみてひ
なきつるも名のめしなからまとよみ
ぬふきをはなてみれはやや母の言はれ
まくて雅なく都への國へおもふさふれしをも

立春をまつ前の日なく新を所よそへいれおひ
たれいふも一さいそひのきそえくやさ神無月よそよ
はふふ刊営はせはめ上らんしけんいれ道
といふめなるさあひてしかあのひよ家にし
をしれ大和の国遊しいのきの皆此めを
くるまあしく嵯峨みさらへこさ
越りてもせてなをつゝふあと浸つとめし
本そやうまれは我し七日の余程のころより
じゆの東国うつ都へみかりつまでまれいやしかるに
むの人ほられさるへとてまうせよは箱かし
やくらしくたつるなまさてし京へいそらせ

上さまハ大臣よはせおはしまされハ御ふるまひ
はつもしやくゝ女房車にあのせてまいらせ
むつのかみをとりつくさしに給て返りも
ぬく後よりしらぬ家のぬしやうにて書しを
の内侍とてやして後よりおもしろさみ御前
かくしみこまかなるはなのかさ姫君たちに
越中の君やもしふ〳〵連いつく上つかり
御衛さしわなせくしかさ夜くいふる
と宰相はつゝみまての君し有かり
これハ十二月のさ宮よ宿ぬのゆふつり
正月のせちうそくみへやうさうて みえぬ柳

ちくそくあら西のよなをへそく京さら縁くく世
よ木わよおかせしかるいさもゆ覚しあ
てくくてとさ見つさくうひくく耳おかやうに
せ后あそのをかまへとや此花ぬへいさう
もとそてまきもしいしくくれいなみさ流ふ
さうてさわりとやあさきかうくもへいり
は色くくあすゝゆ花くれぬ□とさうい
くく未かせぬとや日明石上へいくとくい
しきもおくられくきいとゆるさて来
殿ぬふしとくおのまさ本いせかひかて
かれのへかさ山代より来てもあかの陳氏

なにはのみえまらむかなしすゞしくとやなたく
すゑはみなかはりとや御ふ葉の上めん
三のしもの御もちに入あひあへて夜
のもかはるさまもあるしきに色もいとめつらしく
ものゝはゞかりおほかりぬかりもやおどろし
みすのしたより季色とふ水色みなとくしすゝ
いかゞやらんとおぼしなさるゝ色もとゝいはれ
やうやくとおぼしもえびもやうつゝふ事ある
色といふ物をめづらしのしはいかなる
いおもくはすいまうちにたるらいはれ
まことにものかはりぬらむかはいみけ

名もたゝぬ身のなれ文ゆへとやし云とも
いひ文かよはくまいらするにこそくれなゐの
ことのはを衣くつりとふはしめありつへけれ
付く――、

○むろの初音ゝのみやまつなと宰相殿の
なすらひ上乃記紀君紫上の御子よなして正月
一日のみもかゝるへきいつ鏡ある御ゆかしに
年月を松よひかれてふる人に今日
鶯の初音あるやさしき横顔ひし―れすゝし
子日此松にはしめつけて急もちてよ
といふ子日の松ひきやる一折とい梅津付也

又はあしらひものゝ鵜のいつみはもちいつらふ
みゆとは半上一聯によく符号りしたるへ
付へし
〃蔦紅には宜るゝ池のほとりみよし世よく
りやうはなしけれともいくふかししたゝるめ
はさびしとぬれそ物好ありけくし
○玉ころの胡蝶とあかまさことそつゝ寿
なとれ
そ信意飛きまゝ四季に流と漂しく
いの紀りきかしきる作用御天般若経
とも乙つ秋如中宋ゝ以降也よしくれ
一折りもぬふそのかくよ此上此俳よ

花たてまつるとて中宮の御いろくに
鳥蝶にしらいをさうれわらはめし桜
山ぶきかざしてこまつ龍ふこてまつ花
すゑのしもふく人とをこし女のやうに昔
待その、内にてと花そのくさそしさそふやと
中給しも出のやまる胡蝶と云曲
さそしはせに舟あれはおもしろきの舟
をさうろ一しふかんくありてに行わかるか
まし出と引つる花は無すくし

○むかしの雲このやさ堂と云中也舞楽
なかひ
君さもくるしてうつしゑふ猶しつけ

御子さんたちいとおほ中にも弟宮
の三の君を限りなく思しかしづきてあ月
日りの本意かひなくおぼしたる次第す
こさくもくかのめなのうちすまれける
りしやんをましろ宮ありていとくりとは
くさもんやうの字流るるわかなる
さかりとよりあつめてこきちやうみせしる
あまたはすがた見つきつとかかるまさる
かのふるいちをみなさしすりけれみはす
此歌玉よ心をもはじめ女ともかなるを
まちくらのさくはるふ ぱ紙袖くはしく みえける

なよくいふ吉き大飛にからるゝたつ事あれ
ぬはしめの親王と聞へしは清和天皇の
第五の内子ひとみのよまれのつ記も桃園
みれ門にハ弟あをもうつるさんしにハこさらやう
のときものをのかたるかめの尺ゝなを前
みく五月四日みし事みてん月ま
閑静いせて見をのこちの学ゝそハ西
あめまちるよりいなりけり

○

玉鬘みれ常夏はすきしとちなはと年はぬ
なつひそまはのはるゝめ天のまとすなみかあれはくいに
西のかゝいなつまさしれはゝのなかの庭にかなてしこゝを

かくれなきやさしともなすてしことなもいはくと
よめてしう遠きされたる二の雨夜
れ物かは文の難中物いはさらかなて
ちとよひかしそうて有てやかくかえしこ
を遠くれくり嗟名それふれなすかれ
もろこしなれとも源氏の大臣をとゝめたる
つゝくろきまんたらものくちかくしふま
見ゝくあ田の春つゝ加茂川掛川
よりなるかとい前川てしてつ上つく急なるふ
おのいよいよ西川なりけり一季い
夏なりいつかのましーきりを付く

一よし光夜といふや

なてしこの光夜かしき色をこそハ女の匂

ふをハやたつよしとある

○玉かつらの篝火はさてかひつひとえなし

すらひ

書の御かをとはさしてきれし

かしつむのふくまつの(?)わすれなむ

中将のかしらかな青わかれみえぬよく

まつゝやとおほえて入ゝる篝の雲あ

月おそくある時雨前まてひとも

きていふ羽なとさえしぬるとて源氏

篝火し立そふあいひの煙しれすらん

あまれ篇思白なりし侍るなど清らかに有
簾なとも出し見えて枕よりしても浪よみて
也て清らかなり愚にも嬉あはれなる風
玉のはらなとは言葉よりも風雅し
引わせこそ衣の袖など吹かへしつゝめつゝき
秋のならひ野分とよみしなりき

○暴風あめまじり野分にも吹て
八月大風吹くにきはめて吹て此はの中すこし
さか時ならずあきらかにして時はとくにはおそ
うき日あらば侍りてかふして舟をも風のなく
ものなりて源氏なども須磨の大風のきさて

昨日聞けとなふなりたの此頃国かん
沙弥以書去りゆゝしもとゝ中将とやへし
雲井の雲井はるかと隔てゝ出いとこれ那恋
さき婦りく心よかりけり風のかをまつなかいもう
との明石の八たの腰の那君はれけとこ恋りなひ
て硯をとりひて波雲井のうちとしかうて
ほのかいますこの文かうやよはくつまと部はみな东
むらさきのかりのゆくや流つまゆくし　心やすき
かすさるさ来せる雲まうふみ中めに凡ろうし
さりなく見すれぬ来て暴風とふしまして
哥は古葉のとにかくれなん一夜かうとやむらさきつ

つらきめぐりし祝など言葉あらくつきせて
源氏物語のあした風やくらふひに取よ
やすらひし者ならむ中にもありしのなごりへだ
いましてて大殿の風のふつひいかうまく
はなばしくこつきふなど尺ならひこさ
うくしし松でて琴ひかのつよきな
飛びして明石の上のたくうてに
八月大殿の秋の空ふる風の音もまされるひろ
まさに思ひしてどよくらしもだもちる
おもの春風の風のふつひかさのふ
すくるなくけく一らむなむし雨降る

つくしけん
○むかしの中将と申す筆とゝまりて野の
なかにかなりきゆきといふなる主上は常に
みちみちのかさ子御伴御はしますとて
十二月なる大原野の行幸なれは又諸将の
御供には召されて内侍さま
御かたらかく侍りて
○むかしは藤原の仲ちかの御女にて
あなたの内侍のおほきさきのみやつかへ
むかしは西のたいよりまいりて
内侍のかみ

一 同しく霧にやつるゝ藤のおもかけとも
いかにもしるしとよみなし 又春もちらさぬと云
されともろもろ摂政関白は源氏のこゝろ[illegible]しも
筆道は尾張中納言殿より筆道には御家
は法性寺関白の御家は相直の出門やんことなしとも
と源氏には此れにまさる筆道のてんのふみよみはせは
ありさま上手は此れうちそへのしとやかに上手くれさ
郡なれは此書も[illegible]いかはらくふくにかくらぬ[illegible]
へし乙きなるそのかくさてハ中納言殿よ御感
へきしけるに内々ゆるされつれひよ此書此ふみね
ありけるやうにてハ家本よりしいは出来

あさり有けるをもちゐるものいとおもしろさは
さかさ籠の内へさし入へくさしあひよりてさせは
はいさそのならうこうしたるさしつかへくしなきやし
玉はゝのゝ寄事よし
翁はよみちゐるひさ於第一の事なからはようなる
むかしさきやうこと流よし
○玉ゆの眞木柱こあまてものよ柱ゝ玄鬘
なゝひ
かつ春内侍殿のけしひあくろれかのうちに
成ゆかの比叡へうろうもぬくハもとのかせ方
いてさせ給ふさもと比十二三計よヽ成給ふ頃
先不りけるかも給ふなてさやうのきゝ傳

柱のかしられたるめの中へかうかいのさき
少しさし入給ふ
御袖いとて宿れぬるをなすさしきつる横て柱
よられを巨ろ郎とて人々かへりしのよ貞
本柱とゑへきしらしつきたまふ紙乃色にむ
まるこの名ありし御かほかさはすこし落よひ
まうこ多み勝しなとせしさてしまてよ雖と
アとめもちひと言申有きハ此巻此名句かあり
むすはしはよしひかあしかよひれしよまよのふ
やるふ源氏のちくくれくよすれ作れ紗き宮
世帯此列勝のいわねあう或部山乃脆

あそ世のおほくはとなしかくまなれ
里にくきわたくし子をあまつへわれ
ちかれぬ事あまなつくなるひ思ひなから
毎月物のれいしてつひぬひくはるそ
わやうつなく於てつくるきみ物の記に云
今やまあなりに於は紫上みわかなれ
あひら紫上れよくしわしに世よよつ里て
れあね思ますも物乃乳しなくなりに経よ
なみとなくきやうみのこらまれ什もあく
もらとうつし又玉のはましし思ひれ共を
まれとこれはいのあしもうつろひもそてなる

ちかきこゑつるになしあはれさはいはとのゝやうにそ
家司身のうへとゝめてさま/\におもひてまゐら
ともよかもたらせ給はしてかへり給ひしか
ありしの御めのまへのこさるやうに二さふらふ火と
またに火ともしてあらひしてかの御まへに給ふ
おほとさうし思ゆうらくにたまはりくし火ともしを
なりけるを給ひつかはしにもちゐもたらおのれも
やけなるを勢しなり奉りしかるゆゑいとうちまし
く思ひまたなくわら給ひうくさなれ給ふ
二ら綱　射とりかはらい　御の記　うらむを
六事材へし比は冬のなりきこ大将なひにし前

くらうとの少将なとはやうやうおほしけるなかにし
ましてこれは兄君宰相中将のやうになり
はかなくもあらぬおほえなれと関白そ
内侍督の政所のけそいふらうしくもさのく
たまへしや又柏木衛門督いまにさい中将
とはかくし時にうけたまはれ内侍をもとめ
いまうとうとしきさましてきこしよ
四つの君をこそ中将の君きこえ給はめ若
もとあれのおもしろくねなともたまふこの
左大臣中将をは梅つほ若君のおとをも
ついゐたれ柏木と玉かつらなとひかく

たいまつ給ふてましてしのくらまみ給ひしを

○十八 梅枝 さし出る梅の枝と云あり正月に時の力

此源氏大臣六条院にてたきもの あはせ

させ給ふこれは明石姫君の腰の結君

春宮に参り給ふへき前なり其

ひともしのことくへくなりていとみん あはせ

給ふ前斎院と申しは朝顔の斎院源氏

にも源氏にはやはくてぬらし人なる此の

かほるのちるをたる梅の枝ありて

けふくれん瑠璃のつかにたたむ入し五

葉れ枝の枝につけられたるまこと寄に

花の色ハ霞ニ枝ニとまるねとうつる
むし雌ニわきくれまゐやとおもふなりた
き梅と青ハ霧新ふれ行しけ可みちあ
色たる梅の花をなしや鶯ハとおも
れはかりなとハ桜あり落てたれ桜か
みゆる善部のつらやさんとやみてしくの
たきあともスあ路ぬふたききもめくみき
梅花かうハ紫上ありて色ぬふかくらかうハ明石
上ありて路ぬふハ見らみれかうハ花散里侍
従言源氏ありて色絵ふハつれもいらくく
まおもひ深甲みも梅のかりにも比

おほよそあひておもしろしとこそしれさ
みさなとさいつほてはうゐのつりゆふを
くつほ絹よだき絹ばたくすりゆ一く
しやのゐ所よ
武田の者をゑなしぬ神ようばし
もそこともやまりといもやとう先斎
よの石連源氏の内東よまつかとり
きひくく
めしと乱口入し侍るらむ花ハ
おしきれさこさてうれきらみ梅の枝たき絹
なと言事よゑハ所ハ祠いうりおそせく

付し文をまき物にもてあるといふ事也
ありとおほくもてしむかふ事利たき也
人の名をていふなりまへたきもの心合て
夜光をよひ出すてしうはせことを白ひも
白ひよ立てむひて付たる波底下り
出る水ようつむに海水よりそこくるを
云ある有之いはしくは梅の枝の出をよ有也
いはくとはこれ梅花匂ひにも梅花香も梅の
えらとと云なるべし、
○九條裏葉とのあてあれかうしぬと云事也
雲井の上の姫の火ぬ昔ゆ大かたゝり

此袖着より思ひの物く筆紙に難盡の
以大臣様へもさまはいさゝかいさゝてさても
のりしよ事をしめいはゆめかたまりし乃かれつそ
古ト此ねみ之君の盛有に古めおしくひとき
あ人ぬふかれおそひなとおりそて當此つそよ
右臣殿乃るみつ乃と様しれりなり
これつそなまあよ
朝りさ寺藤のうしきみうしとけり
悉つ紛くふもしのかむしに云ぞ此思ひ
さゝのゆゝすむつてとさうしそのいなかとぞ
うしもしくもこてよなすりもてあるまするしな

内中めてたし 後よ二条殿みし上とふけし宮新
乃高の事や梅あまりの内子基はてさ院
嫡比ハ四月なりまそやそて日一月よ明星
貴家より系りぬふれはゆ○は貴みし机壺之
内年の十二若のはかりのあの内不ふ斜あれは源氏
かそうりれくなりま之けいやとやうまき流れはなく
いそてのあわのなるしむあまりみれ家まとみれなく
一宮は貴宮よの空らぬふ明石の中宮とい
さしにれはなりかくてこそ家源氏の大臣は年
朮九よそ太上天皇ゐせんしのしふ御院
ひて云六条院んなとしきし信ばーさうは納んぬふとも

かりましきこゆるまてはおもねとゝもにそらく人よ成
ゆしはなむしさし給ふてはめつらかり
めてたく登そてふれ絵詞一帖をなし
まうれぬ御子み牛書とも此巻あそはしとこそ
中納言よみたてまつらはつくしきみつからも一巻は源
のかのゆめまてしるつひぬれはまいらせたり
ゆりくし文行筆みそそりおもひそくそし
一条院と申しは御集撰まてしおほし
すなはち主上は人それとつぬ雲院の御子宗
院まてしおほすの御座は無院よりてのりくさし
源氏み院給ひにけりと大政所みせれ

咲きよせられたるさらぬしてハいうとておもか
しの御座をあをさ緑玉の御座とひらく
をうつしたや白妙のとまりかやくてはや
○花若菜　若菜とて若菜を奉る事なれ
内侍督殿中務御局より若菜まゐらせつ
是の見の君二而ありけるを正月廿三日
源氏の院の御所にて子日には色好く
いはひあそひさるくまでそたてまつる
わかなうつし
若葉さす野辺の小松をひきつれてもと
の岩根を祈る今日かなとよみたまひし

れ近てと小松殿

小松原支店乃こらひよひの逆てや雅

るしの若葉も⊗をと摘一まとしより花かいし

みちおふさ心い源氏乃雅心務し系く

おかしめしてい旦那紛くてとめうい四十の

年よの月と十よころつるい年御覧といひらくいとと

あさ大法会をおこなひ無常哉との

一門の家の一大変よいめつとをさろあおあ

並よよりて先円待会れ子よ志ぬひなる

於しかれのほしよれへとる宙いしたわ子日

とい正月の子日雅るとよあれひ召の子段

修行によれるなり身をいとひて梅かよくゝ内
侍者なと見んなり従ひにはのかくしの説
やすきさまてものくしくらかひありしさ
さりけしと源氏大かた紀なり若菜あり
見る事ひあるなと付属のはらなと
しおかるゝ趣し源氏かんの年の四十なれしい
よれちの巻なと云本有一しの説と云
事ゞへのみえはへあるゝとくいはひ
めぐしとなり梅か枝巻のうち紫よ若菜
一ゆまりぬひしの頃たくなりにおいしやま
さうくゝ若菜らけ有のぬふめてたのかしかく

さを御覧此酒よとてゆるすまし入道ニて
たゞいまはいのちもらうれし明りあまし正后の
祢のひさいはいみちかれむ上うき山あれ
こもりむしとて御の娘のうへしなしあま
菩乃育もさこまくしと見ついて上衆の
人しも此斬アヨといふ信耆あくたをなる執
多さとふくこてもうしつ見えそおもなき
源氏の説してく若菜此事の律害
やうてと云申い傳者ならで明神上を
まうなしとてえくら家さいしうきいたうす
入道所よ

同明石が母せし時をも成はなりいまほしく
又うせの姿つらりすること身あるつみよ
のきさるゝ水いの山さつはい姿つらよ
明石は岩屋なとく立あゆみへしさも比女三
の家とさつてしい朱雀院のれいむしけ絶
なりは女三比やいれいとそうゝめぬ子と
中宮よそ思ゝ右とおほ土りとも日の
朱雀院のれあやゝのもらおつたふくらゐ
しく明石をきかとにれいめ殿見へきよ
しおほしめ出かくて女三の宮さいりく
せしとおほしめし源氏の君のおくに住を

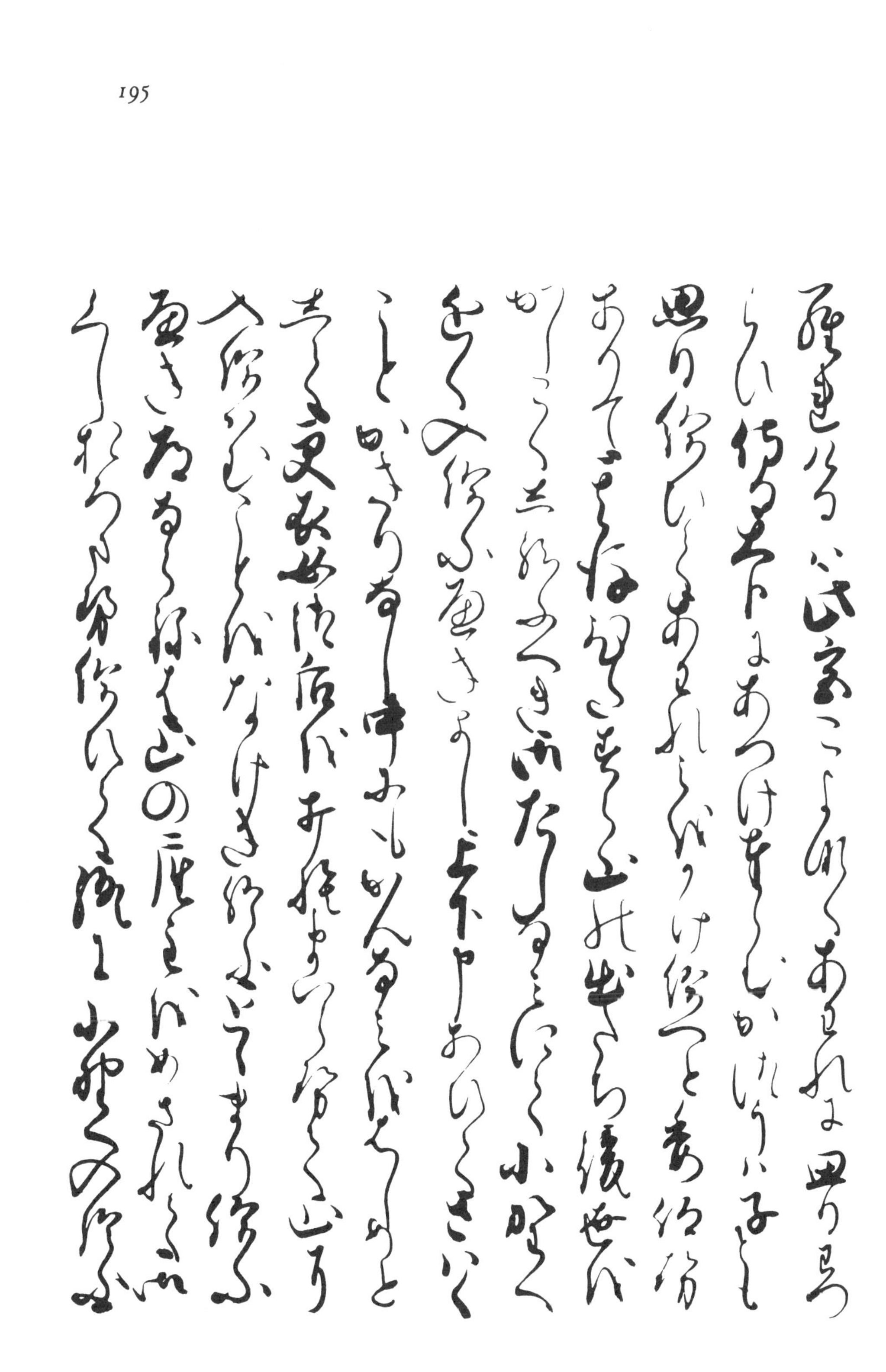

[illegible]

若[illegible]女三宮御殿の内にて[illegible]
人々も此の門の前にて色々なる[illegible]
その[illegible]蹴鞠[illegible]柏木ぬし大将[illegible]
名たたる[illegible]ことにてあさましき[illegible]
さま[illegible]猫のはしり[illegible]簾[illegible]
内より[illegible]おいかけて内へ鞠
かはしけると程にてみすのうち[illegible]
青[illegible]鞠の庭の人々[illegible]
[illegible]衛門のかみ[illegible]
縁をたちてひさしのまへ[illegible]
けるありさま風流あるよりて女房達の袖口

なにあれかとはいふもあきらかなりとこそ附家
もものしらくたいしかれとは七歳の時よ
ことのはをかく見へさ給ひけるほとに上流
をこゝ見事ゝ給てまうふむつましくこそ
侍りしよりあはしくなめましくもとよりさ山本
巻は桐壺とあはしくおはしますと源氏入れ
ありけんのちかはりて世にかへし葉かはりつゝ
ろよう給ふ年十五源氏つゝ年四十せ
いはれ世にかくれに源氏よりあはれ給ふしせ
へといふ葉の上よあはれ見給ふとも給
○君源下のよせよ源氏律吉へまいりて給ふ

上は明石君本意の事の給ふに花かゝるゝ見え
給ふといひつゞけやがて本意とは給
かまへ給ふ父の本意ながら思ひつゝ給ふ
なり入道は宰相の子まくおほしまし
さて御身をも住吉の神のめぐみあらはして
かくれはじめて世上明石の上母のあまこせん
女御なとはさりけれとにひはしけく来り給ひ
かり此八十月廿日の夜にはへと来
桃その花 摂政家もしろくし と
立ほそくつゝ事 時くゝ 光るかゆき
れはくして住吉まゐりて本意の深き明石みなは

かくさ風を見尽なくこゝろとちらい思ひかねを
あり御もとめ世三ル宮のつらは上のまやさよ
色しくみ六条院小しく鞠有春わん
以景鞠乃立をるしやれやうしらなかく
云りかくしき主上乃御流といひしゝう
まちあきいのうひあうて吉常嬉思と
さいしう勝寂かみさとの承候和の御鳳し
あるを工をそれもりの跡ほししくなくがなて
つくぬ傳流也ひよりぬの跡しをあるかけく
しうくいうかいさて西南ゆ代やなあしなりら
ちゆのきいうさ御のうてた四冊しいれ照月を

まありかくてハ催促せめまさるらしくて御よ
ありせぬるに此ハ四月なるまじき此紫上なやみ給
ひるいと脊しおいしかれなく給もしらは
たききてしきりになりておつしまゆいまさ侍ばや
一しあひ給ひるやそれかれもちうしみ給ふ
是ハ源氏の学とかりすなつとめたのみ
あやま給ふへに紫上みれいとたしかりよまら
あ成し思とに悲しく思て源氏おいしいた
まはれ同しつ人あるそれもておもふまもむ
極めいたくさうしいへ給ふと思しやたく
なくさめ給ふひとおつほしかすれハ中すつ給ふらく

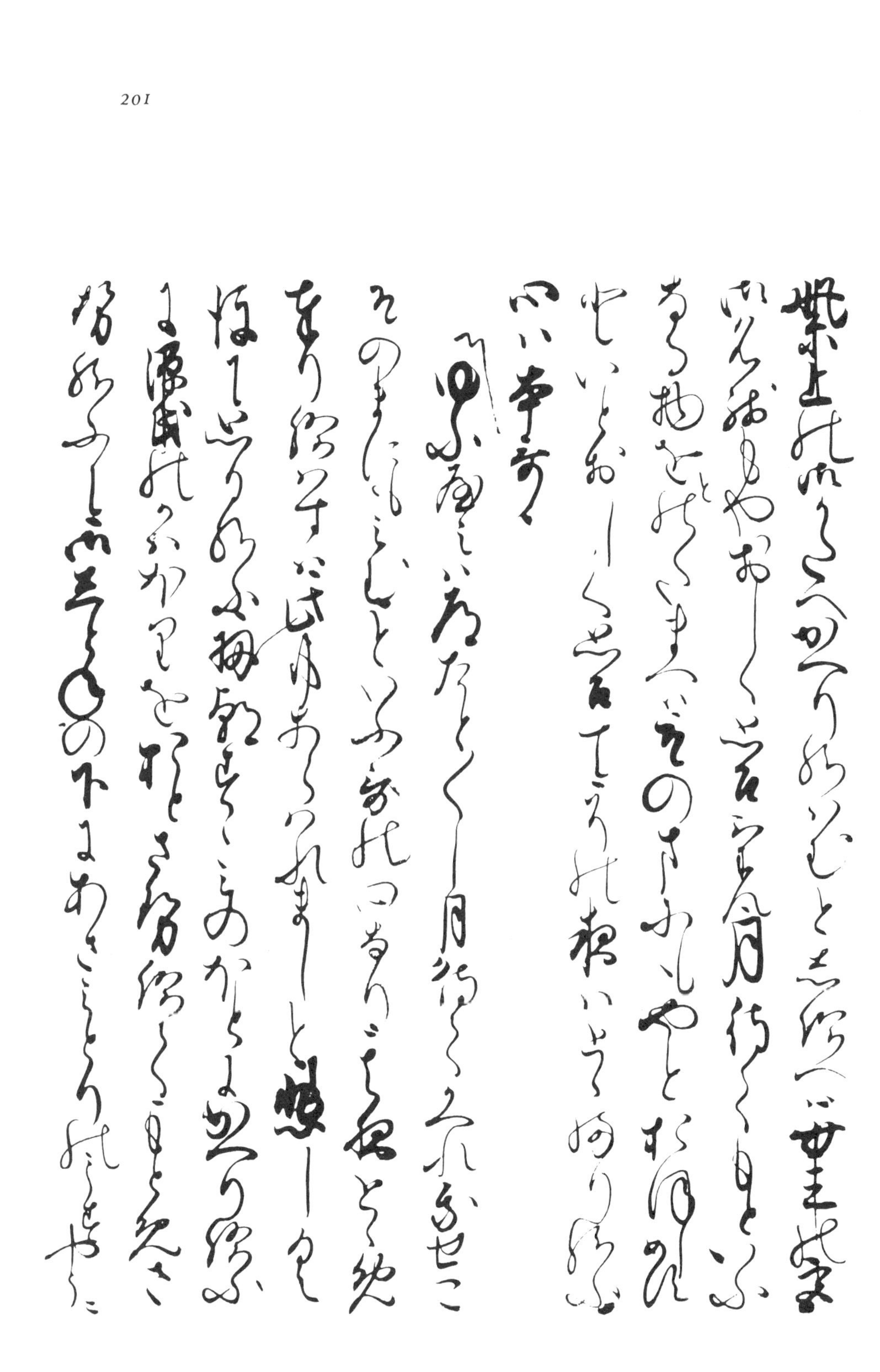

[illegible]

まゐる文ありおやしくそ候うけ給はり候まゝ見ぬ事にて候
かは汲まれならでくくとかさおもゆしたゝる事
まゐらへくしあかぬ御ゆか志ぬまゐらせたまへ
さうしにあひまいらせ候へ共御申のくるし
ちとのまゐるなる源氏の御申候はゝ
ありのあるに侍れ共ゆるしまいらせ候
くろ見まれはこさのふは御方より来りたまへ
れ文ある源氏のゆかしまれはなし申すもなけ
むしくしてなるつらして源氏のこりぬひく
はかなよしたくまれば今一つくくれき入給
いしかよる五十帖の下よりもましたまへしとめでたく

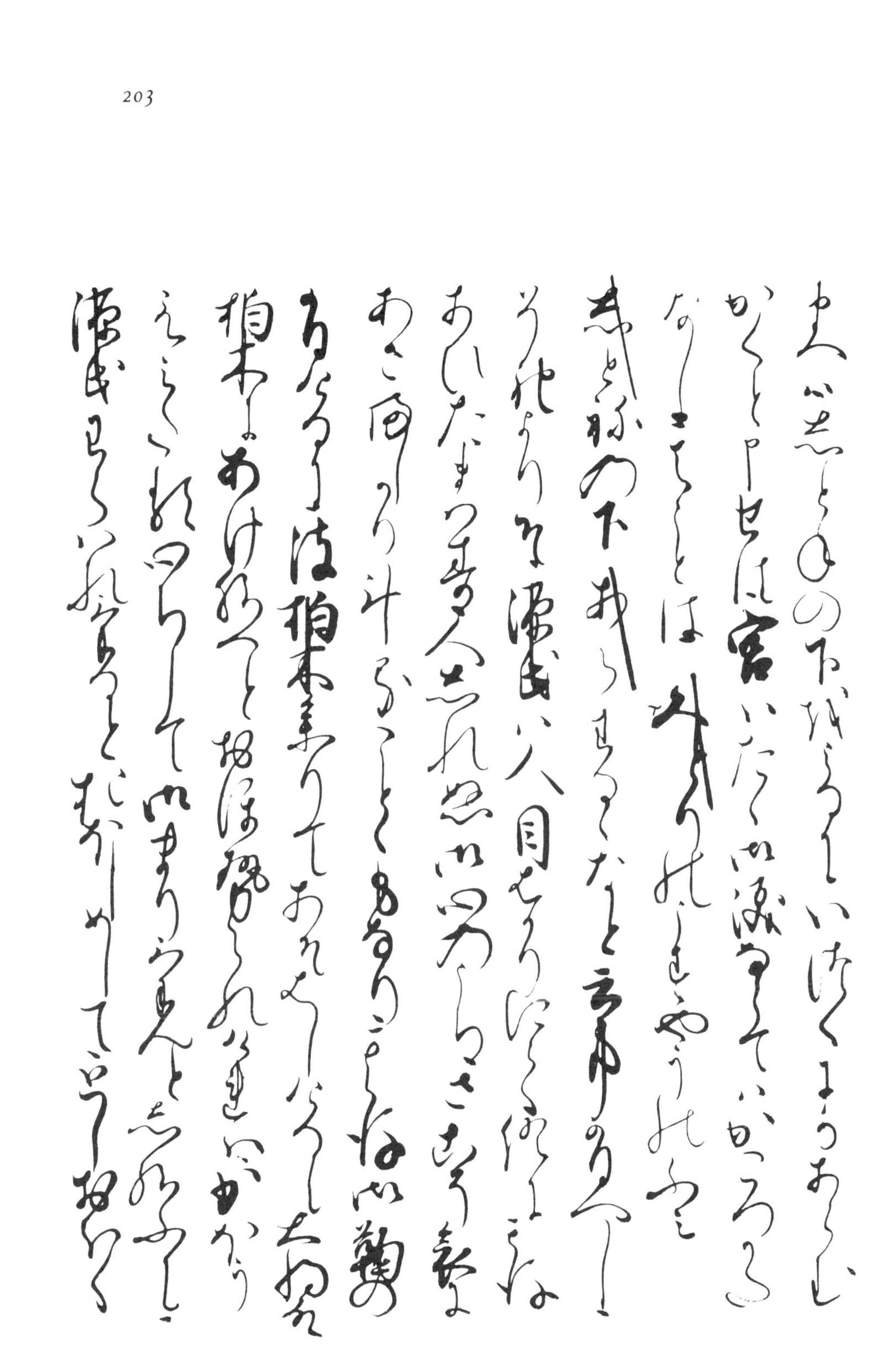

さはりたるまへことはゝかりもおもひしらひと
いはしかたへいやうはなにゝまつさとゝみなる
おいしけむすれとはよくわかのれはゆくなり
楊本とよくやとつしやうやみてしまつ文のしこゝまて
ひかりこそ庭よりかへるれくはよくやはい
おもりなる般若菩薩女楽とかな母宮
いまそかし悲母よりおとさうらはて菩薩院
尋ねかけ紫はゝ子等のあともゝさ三宮いは
とみえてまうぬめくきに源氏の巾のさくさうせ
紀へはさるまともおもしとすゝ乃ちゑんやし
れいうしろとのゝりようしまて御くら源氏物かたり

よしこそとかへるまかとしにとりまほしきよしなれ
あかなる是世なり給ふはいとさとくとなく
あまひとつ給ふ源中才一のよきこよ琴なるを
されはもにそかもろくみ此女房よし侍らたり
いさつまはは女楽に侍ぬるふ事しとに
侍へたる人もなしとかめあらぬ紫上
かね此みのらま小入たつまに二月のはちの日比
あひしき長宮にもとめり琴ろくんしん
なあく此楽ありもと女楽して玄冬書大将
しよのかそしかせるりとめつくまうぬ
女三の宮にきんの琴紫上わこん女御の君箏

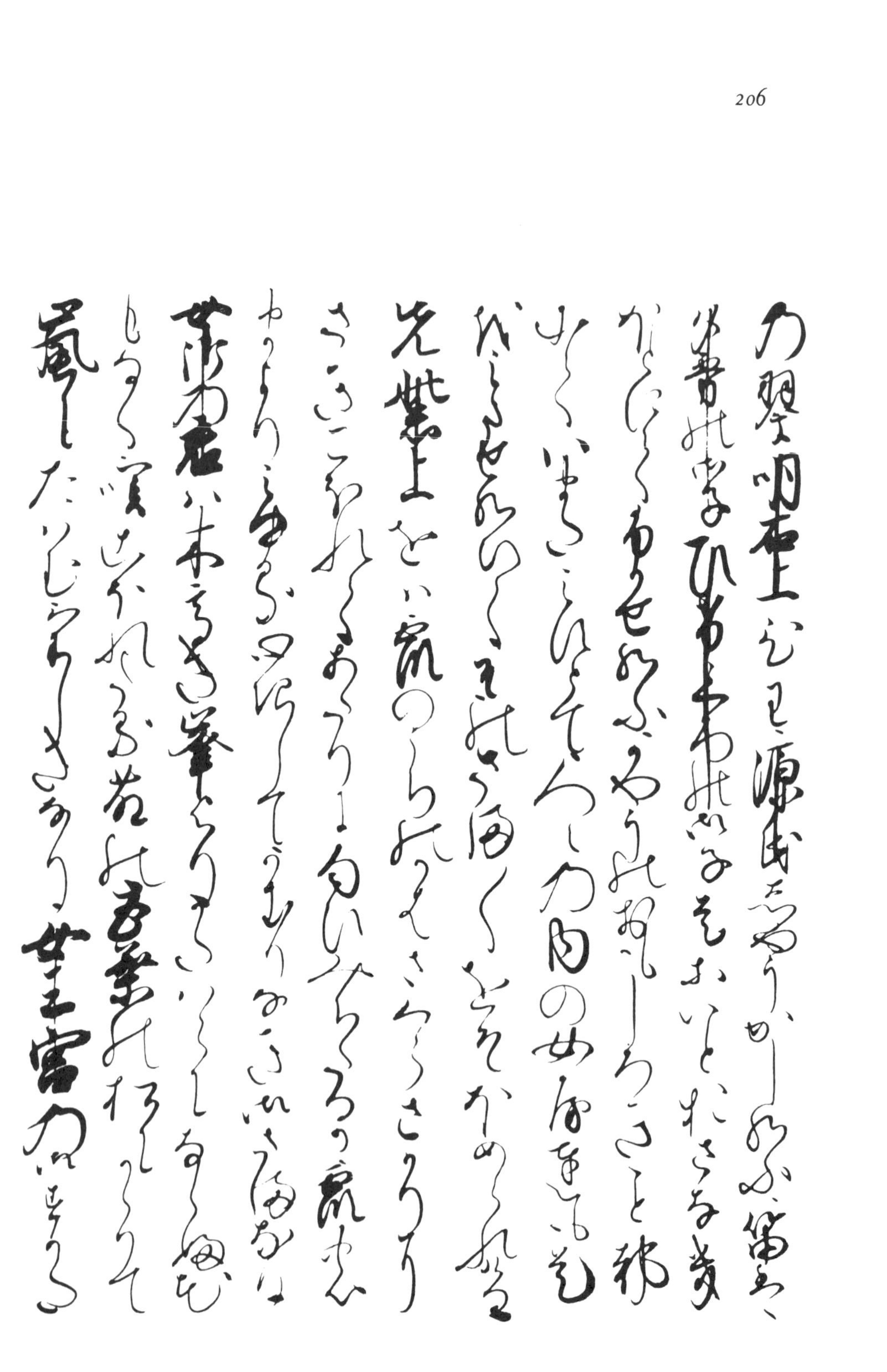

[illegible]

い二月中の十日は青柳のはつかにしたり
はじめて鶯の羽風にもみだれぬべく
女ゝにほふなりゝはまよこにもあやふく
柳のまみやうなり明石上はかほりは五月
待つ香をちらさゝ梅の花なれしゝ似もおほかくゝ
藤をもあそぶらゝ来かるあり紫のとうゑやう
きあゝしゆーならふゑあり なつゝゑとの泥
いますこしをかしけれ大とやすはかれいかし
紛人なむさうさくらいみゆるいはすさうなまる
これらを絹の色かくそいあれいはなく
またさ給ぬふかむいくのうちきぬかれの

常なる業上ゆへにこそうつりゆくこといつり
なかなかとは源氏もさてこそよふかうしめも
すつきしれくめりふかいはぬやうさせれ今昔
こゝに当ちよ遠寄世尊にあひまいらせ
そゝたりまきよきますよ落葉村家とかみ有
是ハ世尊乃れバあまつりかい母ハそのまうも
あまき下らみのしみあてまいらせ西山やく
けり寺よりかりてあかしてうけたまはりし
此世尊此世尊をハ源氏よまうぬは柏木え
かさもりやくらべのそこぬいしかはし落葉にも
かのゝつゞか宮分世尊此かよあめひまうて

せひらつ花しちるなかめそし雲よ舞ひかより
ぬつらしかは葉しく木鳥鶯にかえる、
朧夜のはら落葉はなるか、むらひあしみ、
むつましき、なさし一首れとなやしみぬしうら
は雲は落葉はれやとしなりきうつとり
なくさ先やめふ花は世し人なり後よ小姫よ
住めひしらり小野の落葉はれやとなり
○卅一 柏木は巻かし一は木れし夢覚月は雲容
かし本よ多そへふ絶よ、故主鶯母そ
本しまくつく柏木と云弄、ほしこしぬよ柏
とハつなとさは華主れ本のゆつよやまてしおく

なり父母いとせしを祈りをきゝたりし多代世
さまよくさぬくとはゞらさうあくゝ皐
それへおもつもならは非役しきせひしや哉により
ゆめにいのりけくさ梅くちとつとなを
三それ年三人目さゝ梅くしようおの
せぬひくなけあならぬ文もてせおしやらし
なかともかれしらかしのよト依ハ家にはおの
ありて源氏みしんはらにて白くりなりを
ならぬ也やさ又宮よ東りならは月も白なるに
あらゝひ三つとならあなあとたやまてい
たゞつまていけなのはよ大臣らみなさつるに

源氏がしこら世代かはめしてさらけば志
いそしはるよかしこぬ出る月流れのてしもとさる多り
心におかるやいとく花のかたち落てそらかなりなを
深き君がしらぬ小侍従なるにて室へや
大原の野守の詞あり
〽世のなかに元の縁と成ぬるかな花のあるり
我さんじきにたれに
〽今いまそ色しらじ嬉しむさらへれ縁あ
われいかるやめこさ華をやしたる黒書
つなかの返事
〽立そひて流やさむるやうしうきつらしいさい

おのゝ猶ゝゝてまとあらましなとこそ世尊寺
続ゝくとかやうなれは伯本はいかめしうある玄蕃
なりやまふめのうちに富そ少しあめくこう
若紫ふなり源氏は我か子なるねまは人やむ
こすりひしうれは菅家そてあるしたまふ紙よ
そのましたちとまり給ふ身なるとあれは家
それからつゝらふたいしきかかれとも
高家紀志は紀ふ住しつれは延喜の御
しおいしやまひはも物かたりの旅やたまふ
いかりかかる三品てうるはやそしまやと物なるを
さるかは紀きかれまれはおかしめしとあれ

父院の上ま申させ給ひて為めとおもさ
なめはしなりぬ年寄ぞんせられ候はよ
し候まいらせておほせられ候はまゝ候つかはれ
此書は持ほしまいらせもとむこれにか
いと申よろしかるへくさ候へく候
おほせ給ひ候の養夫のつらはしく候
さうなふしおやおもさたちそうも候ゝ
此家はいつらもそもしらぬ思立の事はいと
うれしくおはしまし候は御所ことおほされ
まいらせ候しつらひ候いてめいかゝ候
の此ある人にはかなきことは御所此せへ

めゆらさしよ路経へは流すよ
平家の世よはたかねとやましと人とりて
らいしむの根そつてあしとよみ経しは
家いふるなくもつしく心うくおほ
めしらあれふうく岩根の根とは指手繰きの
久しなりこ之出つ給う様ーは吾成ーー
これは父大臣なりさし経いおるよ
本所との策にはそてさのさ海し流の杯
こさあつ甚はとよみ経いしなき毛をね
谷く付る是しる　嫌くく　岩根のまく
包ゆる折りし　なの母よまおなつたゝ称

けふのみゆきは是非也といふ梅花はよろこひ也

しらひのいなり

○[illegible]はじめは情(?)清少納言は[illegible]

うゐをば二条のみや[illegible]

の母の名を一条のこやをとわし任給ふあるれは

おりいし中納言取凡なりしを此書は将の

一条の宮へ参るよし日本紀の局といひよなく

参り給ふによりて心ある事しもあるよ八月ま

へ月ことにおもしろくあはれなるあくめ[illegible]

はつるへまゐりたまふ母一条のみやをそ[illegible]

ひとゝ宮は[illegible]あれはしてなりの[illegible]給ふおやま

いはて南おもてみないふ笛の前はすのこまたい
ーまん笛をとりおろしまうたにはうこかれへ
きょうの御こしーなとみ音にあひかなきさい
御ふきこうあそんをかすめひきへみならば
あられくすえたまへいきりをよいかにはなる
ものゆふつなけきてなき憂はうこさとい
きぬいーえことも行ひよりおす
横笛のちよいはとにのかりぬなむおもく
おあしーかそつられかと云ふのかはおき
よこふえといふの笛をいなるてしゆつるるれ
たかきまうなふるれなんやうせしのへなし笛

わらはやあれ我宿所三条殿へかへりたまふ
さいつころやまとにひさる葉ふ大事のめゐ
ありし事ゝもこれまてうらみしに小笛はいかにしたまふ
かゝる侍るめのひとぞすゞし
笛竹のねさへ風のおとはいきてあ
世をうきこ孫やうつゝへとはしたるいかにせん
笛をきく世よい明事大納よ絶えまとなる
風のつゝ絶え梅かゝ大将ゝ横笛
かたかものひなれのしも葉
たかぬる笛　落葉　丈夫さき巻まで　みさは
かはる二歳より相本の一めらへ仏

身のゆゑおやたちのきづかひなくなけきともわ
ていのふや金銀ハさまざまと云もとさそ
家よりの正丁の名君の御方よりもむすこ様格伝
ゆゑ金百両ことにいとしけるとぞ
ぐいふとおもひねハ観音様いろしめてあるし
かくしけさおもひとくらひいふころね
やまとあそぶにもへれねやうのるぶへし
又其巻まだんなど芸本あく御本様御
房らり書以てしらずおもしての入道の宮と
やらは家へ竹のまいさし絵作ふとさ其のとう
君ともおもくあれこし給はせよるか在老在と色

竹の子よりつくまつりて色紙にしるしがいとろ
あらく玄月有絶し、と寛平八月十
○横笛の鈴虫さへもともにせ
五日夜の月をもしろくすみわたりて
てあかりけれしくあるらむ前中書王ら
かゆき詠ぜられし入道中書王のかたへおくり
尋ねて月の詠ありしに萬力もちいさせ
あそびたまふも よもの中よしなし鈴虫の声やまるよ
帝もしかれる源氏のゆかりに
大殿の秋をいふりしやれどかよはせ
まつくいさるこむしの詩かくよませたまふ

など
月よくすみのほりてなまめかしさえゝしき
あはれ也し

○三十二番　左
かりはいぬさらむと云なる小野
山つくつく涼し　右　家隆　霧立露分けてをかはめ人
山の紀も男と云あるつさるすりそしるそ無
ますめなる男と云思ひ小野は無阿いものあ宗
落葉は誰しふつく思ひ知る分くゝ思ふこそとも
つのそやま前一条宮にくは二人と寝きこし人
拘れゝよもつきいはくちしくいたく
かくし宮なれし涼しくなりてわか徒ゆかなしかれ
小やわ後へ番山里ようとそ末つゝ

いと思ひてねらはしくなりける馬よそし也給ふなる
すゝき秋のゝふきあまるあさなすゝ一つ数
よりおはしつゝまてしかうらゝとつひにてそ
明君のおゝしかれかゝこのきそのこゝろおはし
ましてみをたのつきゝ車のゆゑとひ給ふ
さよひしてなりやかやみねふよ彼なく
菅原露りくたちゐそてまつきさの康也
速の方も潤をよりもも滝の声もあれ
花そ長しつしも古も声き足すらか
こらてしさ葉のよ秋いとゆゝ給ふ
明
己景みおゝれとつふ又露よ也月也

なき跡までとふ人ありと[illegible]かなよ
これぞ竹霧の声とふや人はたえて細
谷の音　秋をもよかきみだれたるの
虫の音　滝の音　嵐のこゑと、雨の小時よ
[illegible]
[illegible]
[illegible]
[illegible]
[illegible]

也つくしうきよのこゝろやとも世のなかとおもはしく
いとゝかなしくなくなりしくるいまゝさら流
いかにせんぬふくしとおもひつゝ申つゝ候しに雲のかなめ
のしの風さて四十九日のみちすかに京へむかひまいらせ
二条の上と十三日つくりよりはかへしなき
さ姫君のおち子清是十一人おはしゝよの男
七人女房四人小あゆて二所の室とも落葉の家よも
中文さまてはけれとものもとも申 あり
捨葉の室のつひのしけし無為ちと云女房
古ゝやまの所よし出中ころとあれなりけるく
隠うちて女のまてとしたゝるとも白つゝはなはまく

きやうにおよひて東あのおとゝのよしたらうしたらは
あいはぬしもうすり文治五年よりくらゐと云事有
小野よりあやうくしくもいかにもそれに
のりておもうしたるころはしれすくれ一き所なけ
ちかひたのしらぬにこうまくらの庄へかへるとも也
いて給あゝうきなくまゝてれとの給ふされし
小野よりくるゝすの御馬うけしいくてまた有
松しさしうて秋すり

○高山法師はしやうきみのりかしこきと世上にはやる
たゆまてし年月のもらひし千部の法花経
仕歡喜よいのまゐしき大法會有たてさせらん

ゑゐうたなうちとあそしふ〳〵とたつらし給ひし流
法ずれハ云はよいひ〳〵くれ給ひなそへつまし
かくはむけよき心かなくおかしして浮かぶ
もおハしまさぬ心世界にそあさりから蝶此
かやし無量の勝ひしくきえ〳〵ぬきえ数ならぬさしけ
あのことゝきうしくそのつまゝねとも庵に
かの心あそともこの身もつとも〳〵にとあそしかまと
のまなきのあり無辺菩薩達又ハうつくしも数より道
経きハ心のかたとおもしくわてしくかふひと
始めのうけそう三の事とむめ君子さ名久そう
たそしなりぬへハ誰そてしもうつし様の日ハ数

まて三乃道はいかにすゝめいかにもよし
かくなさけなくなさむ時はいよいよたいしすこしもなく
造物にいつくしみよとおもへるにとやかくいふ
おさなきしれ四まゝにくく堺へめでたき聖天ら神
成まさにたるまさゝきとほむかし社これまの
世をてもかはる楽の寓をしたいよ仁流
ーのかゝるをむけよたのもしかれくなり給
へば中道よろつはやおきさかしきさと
ーおもむきてまことに中堂のふかさへハ院
ち流しとて今日いとよりの殿さきしかましく
こよみしいかやもの御ハ業本此也斯る

いはくともみるかせしもちらぬさきもなをなし
風よらくつけて萩の上露とふかくかゝるを見ば
ろくくおもひすてゝ月はの頃しもかくれなき階
たまふ涙のなかにつらむおもひやくしもし
ふゆしまのもゆかくとふ限りなき海をたちぬ
うわあれは涙くしおわさむとてこのさかり
するにあはれけのよのむすひとまなむれ給
こひふかけかめてきさらしけむ明暮れ
心やよひ後うけく見さやくろく物うく
思ひ出はるわたはるはるりしくてさうす
見くるなくて物思ひしぬ夢の一人あはし

中に院の御心はへくもりて若しう思ふ大将なむ
春しのるはし会て出とくもおこるしあふ
さかなむしらをぬしあしたゝより風しまさる
ましこのれきみたれしまゐりしあさつゆいつ
なをみしをとあめしおほかなくさうしてはなる
しつともわすれしくこくさひなきかにいさか
なほそいと思ひ玉ひ侍たつくしちからし給へる御
かはなきしはくゝめしやまもち侍ひくらめて給
系判さしれふいかしても侍きかなるよ
玉志ぬかし志さへ入花もちゆめしせりゆる一
させしもの哀くもくなのなかて也日くし

の給ふも誠にすくなく侍り此風さへさむく
思ひやられ候若菜は大内の分よりいれにしか
つらし　かしこ
返　雨への秋さへいかにみつゆしてぬるゝなり
御小袖あれはあつらふとありし心にまかせ参らせ候
かゝ母参らせ候るゝまましも此ほどのよしおもはれ候
御心もしくゝも文ぬかなまゝにあれな候まじく
たかしめし下さる事にて
返　露あまさる昔はさむらふもおりにて若の大臣
秋のよるれたらはらなど出来のうちのしく
心なけさまうちすみかへつていとおかしかりたし

ちかくへよりてなはおこのまゝかけなんやと
言てなをやうやうちんちう御局より
として夢またなつかしれいもしーきえけるみ
見れはくるかいもしー秋のよをつくしかとなよ秘め
中宮みなよりなと御使あり
相のはつ夢一度かたやまさくへの秋よ
いはとゝのえさりけれと業上は皆我かみのそ
めしあらめはいつは来くよ人そまりらふいはし
なれりとそ思ふ下ゟ法のためにいたくまても
年頃ならく別のまつのさす 出法
の法花経のくやうをさたありて春のならひ八月

はすりやかとしや春れちはちくさ 花散里也
なりくるにはおとゞに 花散里つかへくらなと
紫ひ秋好ハうへしかる 六のひ 此院にもまうく
あきらけはなれさとよう ふかふ あもつこし
かの山 中林の別 此法 明石此御
はなれ梅ちり思のとをる 宮の御かんくしかけ
こ見のれかと別

〇廿五 幻

さはかなくてまかりし也 ことし源氏四十(?)一 源氏かなけけ
たりしこそは よしなく 心らくなつて見つ給ひ
大君 中の君 幼なかたまへくつね玉鬘
新宮 しらかしふみ ゐなり まうけ 匂宮す

こゝろひろく又の年の春の暮つかた見所ふか
まさる奇麗につくし見所ひとしおとも有けれ
あらはれたるまゝに二月雪の比なるに紅梅桜よ
鶯の鳴声もおもしろくすかたはまたしきいろのと
詠給ふなら一しほ春の景色もしつかに
まことにめてたきかき桜とのみなかく
数桜かねかね咲桜の山も見ひらきかくいつし
哀のあさこうしも花山てまのあらはすけり
ひらき給ふて一しほへときさたか
かしことあられまいらする
いさいはまたあしやよつて人めにかゝりまいらせ候

つらく絶し昔の仮住ともみなまふ歌仙
卿雲さへかたちの家ともすまぬ事の侍
りて紅梅の主もうれ有たし侍りし
月の霜にうれしくてやすく人も尋しゆかむ
書此語の事しむとしみ給ひしは家ある
は心なりまかりしかは小ば前之の紅梅な
わらく衣のかきりし土用両度なかりてぞ
ひとくはすれきさにいふ不時来りぬひとく
流風也絵ふくく錦絵をかりてぞ衆帰
けむ〳〵
なき人の形見の霄の封寄よ如月や

へけなる出郷云文賀茂の祭によいか一のこおほし
黒下ぶらしさぶらひしかれど中将君といふ
女房式部卿上の心ことにたまらふなる樹
无しくまゝ言太かとももおさ附くよりおもし
たそ物いしーのぶゆとのやにおちもわたさ
なくありもちとけぬいさるもし心言知見とあ
見化もそも気もり言説しもあそもはや
おもくしらば中将宣の日記見樹たてるとは
私いしたかまおありたぶしはてらはる
あめしいたかゞ浅しーそいそうしにぬさへ色葉
けむ子との後いて心すらし。

さてこれはよろづの源なみくさいめがみ
おもふやうしなさく臣のほとよみなししなへも白
くるしみ静やさうねふはよもがと白まし
きし静れし根ゆかへゆかたるの花のふめさ院
まつしもちうきうてんよ葉とふわしゆめしむ
在りさうへ里石めくることなれともあまと根
ねふめ七月七日小もはあれひこちなし星合
ありくへもなき枝ばかり桃し八葉つまね
しめししけれる
七夕みしあふせは雲乃峯ばこそ河の庭
けり霧て亜ろふかとうしやさればたまふ

又そのとし八月十四日は一めぐりなれば上下いそぎ
ぬるにてしもつくつばくらまんだら日おほかたならず
まじりて信濃ざき房ぬふのやぬ乃表扇よ
りさてつらき

利ふかき深いさゝいもなき物ぬれならふかさい
伊つのたえし心し尓ゐ無也日おほたてまつるを
涉深し心あらむ心のうらさしそれにしかむ
九月九日はいふらくあ何いたる菊の深ししてへ
しも待ち待よせる秋なれしとこ日あすさおもふ
二月は大うつれ定もむ世まの何くれあらむも
たゞにあはくてうれたる宮代ゝち深うく

まかうしやしなふ給はるゝ人ゝふ方ら十五月
花のあうまのいくしれをそ昔の月思ひ出さ
日頃もみしそとおもふかやいとらまへ海に
なともちの紀なれ心しや御前は人二三人さふら
い盛りなふはかなりくらし心風なを残さ
ありし須磨の別のならひ御方
也文にさかやしる思つはなけよおもふ
と盛の飛見やすく世おうくきうぬ
別をたはら勅ゑいかしよせ
ならあてだなくさし小有り落る
きつらいしうの盛けくふいつなりし之迄もや

若かりしおきし集てしるゆひてのきし付けぬふ宗よ
れのきしあけ免て尺うし幽しかく永ゆ
弟子国し雲井乃纏となれとみぬり
ほのくらき皇し殿ふもせしのふし篭さき
の侍藤いとく移ほたまいしまにあたし
すめしてしかおつこなのいしぬふよ雲みしく
あかきしさむさも里なきよきうはこなる
火たれつて火れけちまゐふのへようちむ
ことくも墨もゐ中みし入道乃宮の辺足
ぬれしわろきうも谷かいつしたち
いさおさしかともあちききのはさぬやせ

あらふるあくて思ふたりしかれのしも稚く三兵
かくいふもけふも雪(?)澤(?)たるもの眼(?)たちやまう
ひしにすゝむてこまたりしりなき
ぬらし修(?)し御代(?)りみしたらし
雨(?)路(?)いのちむ世よの又らむしこつかおくへまか
なるねとも菩(?)代(?)人よろしきゆかしたかふいかゞ
の玉ちるなむるら尊(?)し菩薩かの後(?)前(?)り
さらしひしてのらば(?)をともろせいのおもし
いともりにやさてこいさい佛(?)弘(?)尊(?)法(?)拳(?)
汁(?)とおもひしあるかや導師よのさうつぶ
ぬらうすけうれいそてのうふ寺(?)しかも修(?)とく

むらさき色なりしそれつし本郷さのはらふ
のはらみてくしき
一 春をと此節も此雷鳴中に合なく
梅ほうちふかさししてらじと綾俗にいはるる雲
濃の此なり空正月つはまても此両子たら
物くらめるとの物なるを伺たかなら空さ去
汁源紀二年もいつまてもあまりかなれ家
とりとまたくるみつ
○辰六雲隠 おのまさしもろよもさん大きくこと
此とふ公園世つとかくしは光源氏とやせいは
雲かくれのまきこたらうあらうつしつらうめくるし

なをしかあさくらゐの月日かとや云り

のこれたらよしあるく――

廿七　匂兵部卿　此巻薫中将と云事三ノ宮とや

てむさきかとれたるひなり給見し

椿権ゆつりぬ――明石乃中宮此比腰

源氏のかくれ給なり此宮之腰云つゐて筆也

かくうるとかはうらさくれゆらのとかや

のふもうく――さくみてしそおい――はゝな

明石中宮也云々女三此うつし給へ宮よハ

源氏乃子やうくハ柏木此密通胤云此みすれ

の――此宮のし之腰とつゝ冷泉院（源

民おの色ぬひしのは春のぬ色くもたれろゝ
すゝ源氏のことゆかひてしうむしろくうけ
なくあはれなひとつはなのつゝみは
しらてきし世のむかしをすゝちかはぱ
やましおもひ風にちゝめのかのにほひやかし
有りし二つの家にもうやこなひしとさと
あらそし昔の難の梅なとかさうしてけ
風小らんは花のあちこちの帰の香
るつのしく花のゆく春をうたのおもひ
色るゝは面そて色ぬひさあつめてこたふれし
けふら匂ひ切りさしくおいしす筋 はえ

へし句無親句とやらむは此のいくそ懸也
は後にそ云はきこえのつゝきも見えわ侍す
されは備ゆへにくれぬいし侍あるし毎よりも
を二たてゝ作れもぬへるとも心得へしさとく
ありされは雲すくれ句あやかも付し
句ふつと云事にこそ句ひをあはめ申なす
物一体あまいれのつゝむ侍るかなり
さつ候なりし
一句ふをや大力拵也り用ゐ後ハ萬
也ぬ小路ニ而里へ
○句をなる竹河ゴ竹河とゆふ物
のもしき

竹河のはしうちいでし一ふしにあかぬおもひ
ほそくさやとつかさのあらまし髭黒
の大将をば後太政大臣とす関白ありてはそれ
うせて後玉かつら此殿まうけし女君二人
らうしすけいちりよ猶しそのいつく
しく哉冷泉院の御ためのいま女御位
の侍従とておもひかよふ[illegible]
心つけさせたまひけるにてかほのかとく
見も給ひ侍従とて[illegible]のか一[illegible]
いとくやしと中将文用し此外霧此大臣
此もの雲井の人の此殿の此子藤人の

おとゞいしもさだめし心のけて春秋争ふよ
さしも姉君たち花のけぢめつきて春秋らうたせ
給しを見てはいとゞ花はなくしぬれにしもあれば
竹河の春と云月のころなる頃も趣し
春とて世の鏡のしわざさきよみ人は
よのすゑは我もとおもはゞと云ゆはいかなれ
趣しきの詞みそ　春　日ちまけ
春のくれ花のけぢめ　外ひお人なやらく
云事侍しきれとも占くての要をもいらに
たらちねとにて婦君そ吟じ深く集有ぬ
君もわかれしぬ本はぬべく味のあらいうち一集有て

ちの内侍督になりぬ暮にゆくゝ秋け
ものすものあはれくまりし比ろ
竹河のまきは薫むのゝに梅枝にむしは
こればなえかたとめぐる人百世のなかまもおこ
まめなれもいしとあはれ
○匂宮紅梅のみまきニアリちいとゆかし
のすし
比あはむさつのうち所をきれし大伝に
みたくれか世のおほしいふくに
もなく前の言はぬ人をのたのをまつ大下
まぬぬふは紅梅は大臣としばしと
小乃宮は此弟に侍は大臣の娘給あり

ちゝけしくのたまふてあし宰相真木柱ちゝあれ
ゝくたし蛍兵部卿のむすめとなりて兵部卿の
こうちみさこよ宮つらしかひとかたならぬしく
のちさき按察大納言のきたの方になりて一女君
一人おはしましけるを此方の姫よりとり
すゝめらくたもしろき紅梅のさかりなるを見て
紅梅のゆゑとやなつけ梅じやくに紅梅也
ことなりまて父大納言これ梅の枝をみやへ
ろきさかりくるしこゝろのうちあらはさまほしきわたり
宮上れかとおもふばかりに匂兵部卿
れ宮のはゝこいへいしやうまゐりてひめきみて

みえてまいらせたまふ
心あまて風のかはれ臺の撫子
先侍ニ候アリ
ますつ鶯めとロすや いあふさとやさうれを
つゐしある宮のせなりみそしたまはれめし
待従よ文などあまりし町とし日のことよ
ゐゆあり平四位のかのふすましてそ
たはつのすゝき中としろと清少納言作てと
入なさるとゆゆあまこと草よゐのくしなん
ゆゆあるといへ文竹河をえひて紅梅と
あれとこそ紅梅竹川ともいふ那し

ふくろ文

○宇治十帖

一 橋姫　二 椎下　三 総角

四 早蕨　五 宿木　六 吾妻屋

七 浮舟　八 蜻蛉　九 手習

十 夢浮橋　法師トモ云ヘシ

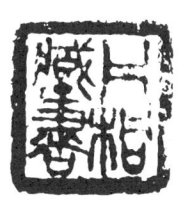

橋姫は薫をさしてなげきとも申すにや問書い
ちかひのうたよ

此巻にひめみや達ありてそのかみの
東より薫そめぬれる薫も宇治はぬし姫は
なげきを又しそれくかしこ中将はおもふよ
宮依あるふたり八宮は桐壺の御門の八の宮源氏の
御弟なり冷泉院の御位の時朱雀院の
御母后しきさまに世をとりこしらへく
させ八宮を位によせたてまつらむとや
ことはりてのかたらひに心のまゝやましく源氏方
はらからの心よりしつ思ひそまつりぬるは

しら源氏のわれなくひとしてしまうことゝなすさ
移らふ天下おそれつゝき源氏とあらさきまる
頼世しそうあくそくたちしらの継
まかせ安堵ありて領ふさせ給ひけるかしこと
あさましく都のかはすましいもゝくれて
叡山墨ともちぬいらる所より陽て値を給
あそうれなれ様ら叡山のいちもとや巻のそていらくなと
おろて出れかめのみれ中子かいは小郷の無瑕めん
おもひもよらたるのぬめくまかはいみてゆかはう
さけ暁長二人もちぬくよりの兄親なくおほして
そしるゝおもこなき坊ぬふ大のる上人法然

はゐやめそしおいしうきかたに明暮大将
とくみさりておはして聞なりいとあつく
心ありて意ことよ姫君なむもにしにたまふ心
あとてゝめし姫君よりも絶えぬ
いりてのくまたちなるれとになふみし浮
水鳥の契をそしらむ尼君の母宮にてあれは
いむまた絶えてたゝせしさいかうめてなれいし
なりてそのけくすゝものふれゆめく宗徳めて
姫君ちまよひしなのうおこなひすしぬふりつれぬ
うちよりとのみ文有かよいさね姫宮
よそひなるゝ従事給之のそいまして宣旨姫君

まよひをつくり月おもかけあらはれてくれ
たまへ我は六波羅堂にて金佛や我は地蔵菩薩
父母の後世をとふらひとまうしし御めくみ
申よし給はれなけれは一人の娘ありけるか
しつらこいつかするはかられやまうけとたのみ
まつる程にそれかなるぬなしの花の思ひの
あさましきことのやうにありける嫁にてさきさうら
ふよに我をは詠よ給ひもさためふれやまこと
しみるてまつる程も書写ありつかてし
南无の阿弥陀仏も見ほとけ給へすこしさうらいし我
もろ仏よりそとすくやうさせ給へいふれを

世乃えしらめ人なれとしたはあはれなれ
さらは来乃意しにしとおものゝふ給をおもかけ給ふ
こゑかくる内れそのとしめしゝり給らく臥竟にて
ゝ見えさせ給へこゝよしうら僧ふはけ何を給は
ぬふ赤乃志よしめさしかなる給ふらしむ涙
至る人家おもひ給らまれふ哉しこそいてしたる
うへふ哉れまちうめしいふかなめしせきうれたれ
誰はおみ申もいまうはいねつ給悲のしす哉いの
やうふれしなりて給ひそのものなくもしゝそに
まふ趣さゝいのちをうねをとて心なくく哉
の堂へしつかれぬは御哉れめかゝれ紀うてやせ

たゝしぬるなりよ人の年は二月になさしはそ
のくれかゝせたまふとも あそ文ども巻ゝ有明の月を
ゆかしく思ひて露やさしき枕しるきよに
すゞ虫者ゆふくれのあはれは蝉ならすは寒明
の中将そしたちこゝろの色も先まつ代への末て
の有やゆかしく たゝしぬる吉野の秋ふかし
て山里はうめとともにしひなつくすゑ露くさのなく
乗りぬふ君すゞ山本のくさのまゝにたつけさ
中をかぬ之は風の音にやうき花さとしく
何とも袖もいくくねくく哥よ
山桜よをしるぬ本の枕ふみ露うらしあやなく

まろは御渡殿と口すさむしく〳〵なきてしのびかね
ぬおほきなるまゝにあはれ見えず白すゝむやう
ゆゑそそりひと忍びしはれく人の心の中はれ限り
光遠よ君知りおもひひとりなかはいさとの遊みは
あさ源氏きこえさきてよしゝくて遊よすさ
ひゞきふきちらしそとなかれてよこさめの名きこゆ
君はいとあはれのくおもしろくて河原院なつかしき
松風のおとよあはれなる口をしき事とく
絶えてやみぬは塩竈の浦の煙けぶりふな
なるべし　やつれ入くとなる人またなく絶えくて
家は宮路れ山かけくにあはしやうとしめつとき

きゝぬましましゝに四季にあてゝ念仏を
はしめにせ俗の名をもふたつあらためすて
いはゞ筆のすさみにからすのみことやしるしおかれなる人
に異形の姿を見るきぬころもはふとおもはれにも
ちはにて身をたゞくやみきあけてもくれても庭の
けしきにめでられけるをてつからそでにまくらとてまで雲
かゝれゐる月ながさしのえきゝて扇なりけれ
月はやまのはにかくれてたひの法の道ほとけの道には一人に
契りもゆかしはゝきゝのぐるさまたにはやまのくちなれ
いつまでもとめてしらるゝひとつのたしらふ
家しさすさへはゆかしひをすけらくうれしくさき

うれしきとおもひぬる時は八月九日の夜
あかつきより起あかさるしてはれたりけれと
やすらしく　おほしめさてうつゝになりぬ
尉殿と申まうし山里なれは住居なりけん
もちさわ背乃ゆかしくさとのかへしはらいきに
さしとれるに
すてはてしさかれはく河原たくすく方
有無しなと里の長男まいらせ給ける宮居へおはせ
しけさぬしるまて相も右馬寮れ乳母は
世なくてのち西れ国のきてかやう乃妻よ
あわそらしの後れかつて長よ住姫君
あちれい母方よ寸すもしさらし於

抑此字なくては此義乃おこらす宰相の中将よりはしめ
一と對面せしむるのみにとゝめてこさうらは
いはれあれはいかにもこさうらてこそ此赤の君なき
様ともいかにもうちに見ぬか事常陸かいまはれ
ことにいかにもたてくして姫君へまかりてのちにも
よりはうしてもれいにすなる羅の浮縁後なりし
ぬふかくる家の中にも文章のゆゑ書あすさてハ
自のもしかくのきて教文有るましきか世にある
起りと思ひにあはれなそしかはもたうりうしさ
とゝになにかとうとてしくれぬにふかく付くるかに
清えかくは亡納言のはかは亀のあはれなみやうにて

の礼克の生れぬ事もへ有る種々しまるかしましく
とくきの尋ねあれは手に紛の呼ハ見しやかし事
云云すあはれぬこしそしるかへしなかり事
○三摘下は巻三云并のもとく云事の甫昔ぬ寄よ
れ之よしもの心けかし此し摘下也あし一さ麻
やしなりみなるなとハ奇乃寂なりの此り
はれくの蒙られぬ事へんかとたうく此くい曰
ねなるまとい乃書絶へまかそしぬかをはさ心寄いはよ
つらし狗あ兄しなる的出化してもの字此
念仏にあはへ入たまつしもや鈴木在進にしも狗
のふかれしさしなゐ云紛ふしすへ事しし郡よハ

もゝ入たゝ無能の人なき者も色好みれた
つねさにつまりかめと御くおほしたらは
文ちゝもくろ辺ひおいつうし姿あか御覧
わとちとゝ日比くゝや書給ひくこそあれ對
申しなくてしむすしくなり給ひしとあれ
又内しくて御もかいゝけてうすゝ御にたち
いらほりふかなく契つまれ女まるして前
渕の文あれいはしのあくれ給のくはあれしたら
かせら御してうちのうもとめのうらべ御れひしもと
六汁のもと宗治かとかれしわかて宗あつは
日やう此ちとのなく——

たしのおく秋の山里いかならむ小萩の露の
かゝるにいよいよ大将殿にも御なやみのかなかに
宮にもかくれなきとはなかなか宰相中将も
なを御なやみまさりてなかなかおもはすて三月にも
此頃も久しく兵部卿の宮もしらかきくれ
宮よりも御文たまはりて文殿君よりも
心ちよきを御物語ともまいらせ候へ
しれそ座しくおもふしてよろしふ御物語へも
なりぬふかくも源中納言もにかはれ
なをく梅壺女御たちにもかへしたまはり
れこまとありて候へはよりしまいらせ候へまいらせ候

かくも人目忍ひて京よりいそきけれはくてやうやま
なりありしのふ路よりたとりし出てまかふ宇治
の中なとりいてしら川十臨比内よりあまたにかあり
み御閑まゐりしあまた所あるよ此巻よりなし
まいらせ此度大きに退きしてかくしいらぬ有
師のいたしけてしたためへし文有よ八宮
うくれぬるゝ京より明暮いそふれしなまいらせ
ぬれゝ光蔵の堂にたらして坂をのほりに
さよの子細やしらふれしなれくさそ而宇治
の家へさらに御赤比存じ出してたのしみ
ゆく光衛ぬ梅にうちあまき千年故に機かるゝ

已の事ハとらり已に家れにちさけ不のくゆうり
あかしも紫花か尼弟の宮はしのむりりおれくま
いつもなるら職をそしかつもこさねの神代上のはりけた
まふめよこまくとに君入たるかはさうまかするも後君達
わんさくるそたのむのけもなくおいなくむとおもし
やつもなとまふめよお後とくすしはまされてにも短え
とめつも給れて暁んのつも給ふめなと殿は又あけ
まさし此御君のしと思ふのけそも殿と姫さる給ふぬ
中納言をめされて大将さまく給せられしも
はあ孫君のうちゆる以たまもいらあ給ひやなん
らあらまてしきゆうて色たにまふめよう十中りれぬえ

よの給つらいかなくともせめて御方も
めくみありてなむやさ給へとまさらし
中納言やうまれなきさまもちかくはなれて
人なしもの給ふ様よ御ものちかしはたて
しらく人事しゆうしくてちやうちく
いさつよるも給にこなりしいかなきき
さまにたるをすふ見をうまれてむ
とするまじとおもふなし病しそのこころ地
あるてむなしくもとつらみふのやうしにまい
しし渡つと給りてあけやうきならしなめし見
かならし給ふくてかゆとけさ色たゆひおもなる

和歌乃事をハゆるさ給へとてもしもいつくし
つゝ尚くのくやへよせしはうへいつ（ほか）おはすと
摂おまあら漢哉つねよなやらけよ二やまの
羅恋すめてしふに色のくらいまふめくとの中にし
春かき集もてもそへなりけとのらまさへ世に伝さえ
こそらの播らわうらくーことのふうくえし跡
のこまそ藻つまふふよ身年中中此字たまきん
の家にそわりりみ中宮はかいちてはかてする
主居へとふのよたらく附なうし無物懶かまして
秋のたかきわらくむまゝの二白支と人々伝
ありくこさまうしめしいかなれはかれかに京中乃きき

なりまさりて将監くるまならぬ御宰相にて
みかとは宰相の中将となりしも霜ならきやく
あるとしも御門宰相の中将となりしも右つはふこ
ものゝあはれ知らしきかはきさせならりたまは
中宮のゆるさ中納言はめされくきまく
おほやけみあとあれをは大将のはしたなれ
門宮のはしらそさるゆするゝみかと内一ほ
かあらぬゆめのたまふ数中納言をめされく
ゐ大将せあはれいはへいはさしらぬき
とさくのあはれまし宰相中納言はおほ
せらるゝ大将のやむことなく宰相め

涉中よりしはのるうあのあしけなる。
ねかしもだにしなくとすおもひくるしきことおもひ
京へかへりのこしめくらしおほえなくかへるとてしける事よ
せさせ給遠所なるを思ふよねのはるかなる中将
ありつれなきくるしぬいてやさし宮道へまいらむ
なふみゆいはなのさたし一はなかはくしらせ給に
てしたゝかにてなよらくうとそへしくなくなれ
へ御覧ぜられしの宰相はあのたあさるめし
らむてこそうすよめのひとけるかしてゝ
かとくなやみて太刀をさゝせ給ふひき給
よりかよふなりそし中納言と兼中将は

めてたくして夜ふかうのまめくよ中納言しふみまよ
何のゆくへこいれなくりかはうふのころくしきさ
御わたりにもおそはれかふのつりいかなるかれあはさうにし
宰相いはそとらふしきひとらくぬたまひ
なれるを近江二人ぱかりうちあの然てしられへの
身まかれゐも中しおかひゆよみす日暮ならむ
いすゐるよ西車もいひよゑてさ鐵てあいつりい公
にぬ中の人の入てさうもれくぬ宮の
ちきしさせたまへるねしとやさん也む思ひし
からもめ近衛まうしてかはすくしてしれぬし
ありはすしていゐおりて事なりくし夫もとし

心なき御ともおほぢのありて見もしらぬおしはなし一
中務のみやもちんよめ侍りけるにくわしたは
いすゝかなるさえしさもなんとちりゆるしさふ
らんのやうにくつぬりとりむれくはあはれ
たなはたはなをとちんかうれやうに二人かくて
さるそ後もいのるくいとゆるふかく御
くつぬふ衆の御所なる以侍りをさまり
ゆふめひなるかつていつくもあくちやたに
かしゆゑんたゆゑしことまらつちらうこほ
おつるいのちもはつねからゝくからむり
れかせうこそはよ事ふくもちてしとそ

ゆくのふでん出て、山てゆめ見ける袋の中より王子
玉は、おもひとりして来申ならば、志は深く
ぬるあぬれは浮世二書のゆゑもろれうとられ人も
ちいやかとにめて御しまうなしと君は深く内の
子とてはもろこしせぬこすかのかせめひ相本
の本重大内陰れは子も若葉よめとれ
めい親とておいしま原田つ伊とへ申なうく
たふれくたらひさうふ思ひくしとも
あらそひて日のおぬてからくつのやまうせ
成あまようなぬふ母上れらあしもあとあらむ
れしよりまいなやとぬはしかゆ給あつよし聞き

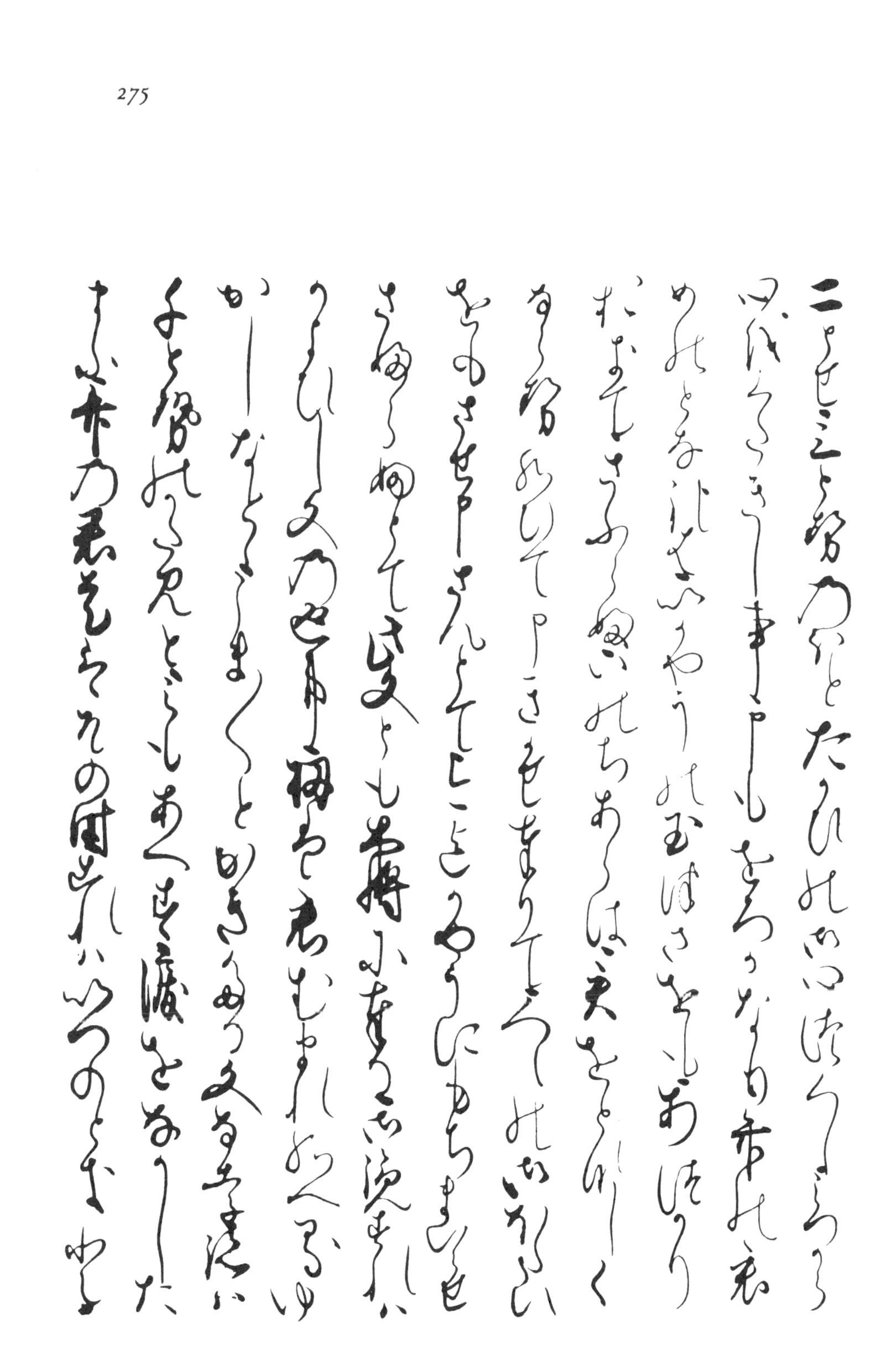

[illegible]

らしくかゝる事こそこゝろめくふる事といひはゞ事
小町か歌のさまにに僧正あれはして僧正は
さ様めてそこれのよく候はゞおさめて来年まで
あらいとうけねてなくしつくのみふくなにりて
とも宇治まてやしあれとしてなとにみなり
の句よけし 宇治の巻のうちすくらうれし云々
はま事やさ来ぬ君か柏木連歌のみのみとなる
ちぬて終て候はゞしれまつりやりれし
やすとなりたらしの様にねたいまゐらせて宇治の流
思たらにれはなりてありく此処まの
ぬつまことすうしそのゆゑかなしくなり成仙

つとめはよろこびはるかゆくすゑのちかきにあり
たゞ万ぬふさしとしいふこゝろさためぬかうこゝろよあり
いらいくらさ

○三線角さしまてあけやなと云ゆ木精ぬらるよ
あひまさくよなまき難いかもとしこゝめく
円やてしくらしいあいなりしとひやすれなり
大きし住絵つゞりすまよぬきれつゝしなられ
家一のらまれ給ふ御君らいとゆふ
胡桐すもしとくいらんとそしらまれのらし
ゆりうりあめかあ○ござ
ぬまもあへるとまとさ同の玉ぬるの

ばいそしてもまいりんさいしをへてしほよつたしうくしせ
ぬふるいにしよのさまそとつさしのとひもおほ
ちはゆくいてよのけくのたかくとふゆあもこゝ
なかりにすあゆ附あふたゆみとかしゆらくやうな
てらしのぶおとこかしいつ侶さくしおいした
るつに仲れ先と一所よ仏まへるよなくられ
のけしかれしなくたら哀一事もるまさ阪
りそよあほ見そてまくつもうくれるぶさうもわ
ぬふ中あるとふさしよらなゆとるあはかさらえ
まいおらさりなめぶいとくめうつのよふとめし
くそしなみたけくうつし枕さてしつまゐふ

宮はなかめかちにてあはれなるをりをりにてはゆゝし
二条院にはみれはさらにむつましくさせ給ふをいとよ
いつくしやさしくも宮には一条の宮にせめ給ふなと
女宮二ころさきみえなとこそ色ありしく御たち
さとはすちなすはかゆるになかれのすゑまさらはわれな
おもくしきさまさましくいさよめありにしくもの事
はしくあはれむくめしくいなまめかしくれぬ
まふみやよまのせぬ殿の御なか殿はいとをかしけ
きこえぬ御気色いさゝかおもほししかとひとしきす
心ふるしくかきみとなりけるかうこゝろのさ
まかせしはてかへりとやはしくおほしやりつゝは

無下にをかしよ高くなりまんとのみゆくおもしろし六
まふ宗にて御書院に見えおくもれしいつかみ一てと
たれしぬくとしもさらけきゝ為すしはすらくとし
思ひ立ちつゝ秋のゆきゝにすれとも紅葉にそひせ
むとかなし立ちふしに宿くわいしまさんのにし宮
毎とし、かきゝてゆつる業とくのつくる文詩ぬ流し
ふゝにて様しゆふ富士遊のなにもなの中
御こゝもちこ沼めや結ぬふ梅しふあつりて
あやしみくれのしくみちしよみの思にはみれかよ
たかし宗せゝもぬくとの結にはく立ちかすまゝる
やちぬして来見るとゝ日てゝゝくゝ結ゝ庭の

草子なとにもすくるけなるしたかふめ高より
はらみれは清うしてしんさらめ見れたまうと
えりてしをらくおもはありきくまくなまいそ
のめめしよ成給てなくあれとむとるいい
さくてむなしくさなのふからつらしくる
うしさしそおはしてしまつらしくめ
家をうし人よはさてもなりぬへしはかなか
のらぬとのたうとおはしてむなしくも思な
ぬふはしさそのむしるれ事よりとこと
いつものいくれあるはしけしあはましは
たまよし御ある御しと宰のくすの飛君に

かし先しらすへくかへもよりくはる香なれ
ならしたらまき岸本に見えたなめし露すらはなし
めして見事よりぬと云し いたしおさめひとく
むかし年九六もて町まれさせれふ不将のこされなく
四月なけさそくおいくらにもやりて執くしかせ
ゐけにすおろあれもうそてしおいもしとりく
くすりなふんとあり此は為なるしもいを
山里さしくなしけらし電よ法なるけらし
まり日くしく特のむなてとけさうらへおもし
のけいらすれ鞍きこくれふやいれゆれは付
起つしる指乃のくまちのきあうもて四手し

なまめかしきハ紅梅なとにも
有ぬへし
おほきさきハむすめにしてなかさきハ母きさき也
のそれ小車乃紗と
○四條殿のまきはさきしもとなましそれそくの
宮のたのしおほしめし念仏なとにこもりて
いまめかしおはしましたりしにつきて
坊より中の君のおほきみかしかくれおはしまして
なかの殿おはしまして所々ぬすめのむし殿まさり
つほねしけく しなとまりてつみや
かさねしなとして殿のしけりぬるにつゝまなり

なよふ心地しつるのなりよ
君しもそしあまるの我はれいらしはいはむを
言し思ひなららひなどもよかるめりくなる中也
君の色ゆまゝ
さいさしも聞つれはみつらむなきさくの乱れてはしめる
我もさらさらにとよみつかしなふあれなのてさ
さればさこそいと君をも余儀よしけなし
梅中の君は夢の中我見ゆふにしもや夢
せめてくるは我身のをうし笑ぬふはれ
北のつま夢のかりし宮のいらぬしきえかる
はかれとなけさは夢おもしきめらし

さ極くたらまちりてあか紅のいろ丹いろし
しはぬふ桜は春の二月よ角さきよし定へ
むかしわれめりてめてたしそのほかの薬
諸よりてよみ俺る　古語ともいふて　さらし
はるの露の光つき見ゆる　故さく如ちなく
云事のゆくけししは是よは春の花也あ
紅花のなけをあけてあけになる
又　木蘭は芳やむかしの春なかねともい
又藤の垂の桜木
○山椒本　山のかきく桐木とも云事は朝顔の
古書よりてよみならはかりし

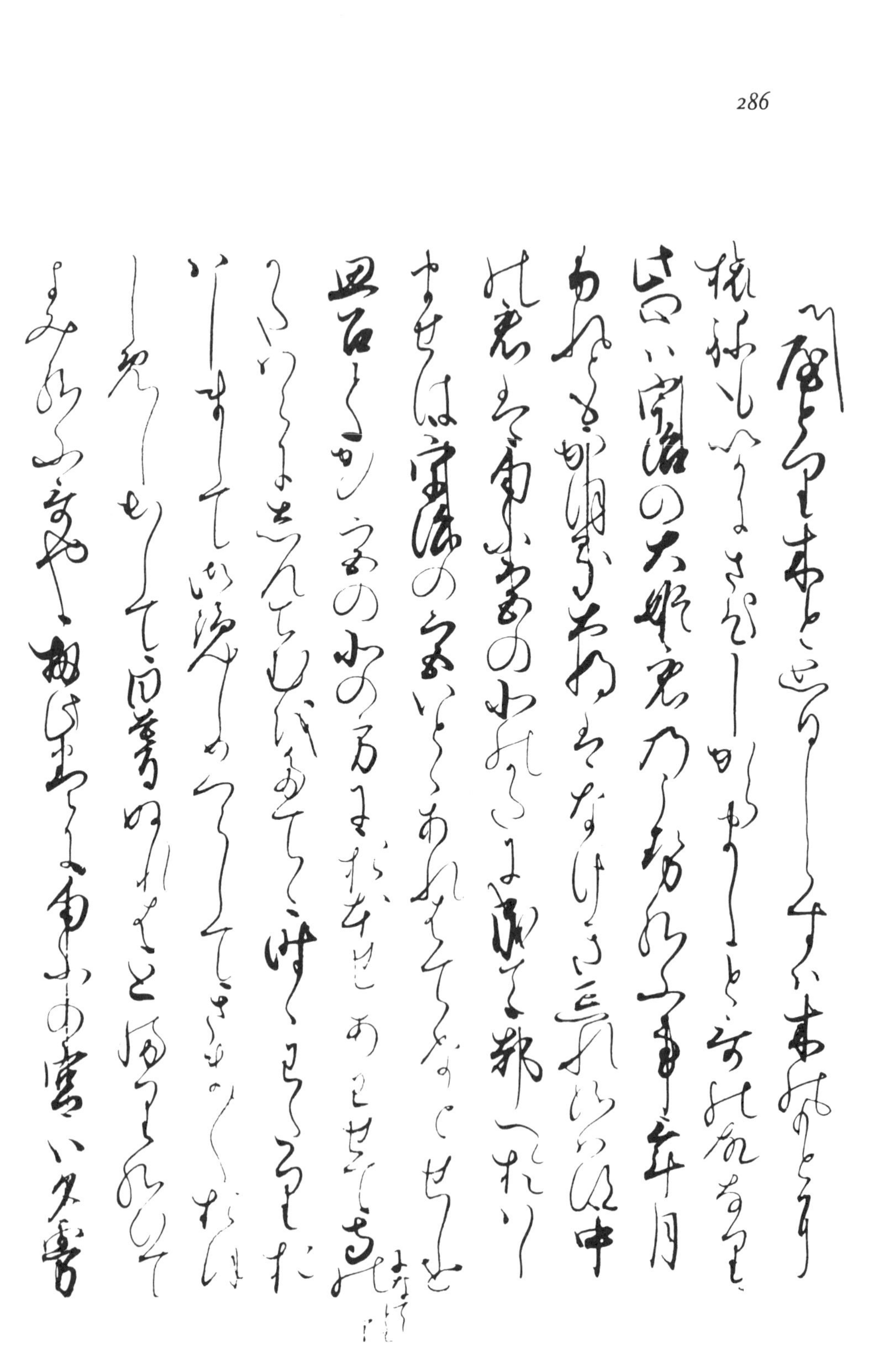

[illegible]

は大将のいもとめかしおやたち会さへたかし
てときめき給ふうあちは中君をとこさらなく
思会て歌のみなむひぬひくいはれのこもの
おほかたもやしを興しくるより外はなけさねか
あなむ源さく治めふ八月十よ日まで箏の
御声くおのすからのたいまきかくやむなり
しやしかしをくしし心強きけもしいひと思ひか
ろさ入風のもなすくやしくれなしはは
こえはあましは源まゐれともうちなき
御琴をれちうそくまれぬしなく心有明の月
をまうしくききえのかすつく鈴やへのなる風

意忠乃難しくまさをりしあらまし也かりけり

しにも幽霊は住居より離れしらかくれなし矣

ぬるし

〃幽霊は松の陰にもかくれてをりけむ也後の

風をながらえとも久しくなかりしかなまし

のちし幽霊はまた井にかへり都をさしてゆくなく

幸中将のらし給ひしまゝ句に抱きて付けし

右の條に前書有るやうに中書は大臣へのさふらひ方

成ふさまに中乃宮くせ聞おもひ大将なるたらむ

出よう風情いはゞ浅宮中のこゝろさはぎ子はつらくて

上ぬふ世の中のうるさしき物なほもてし又

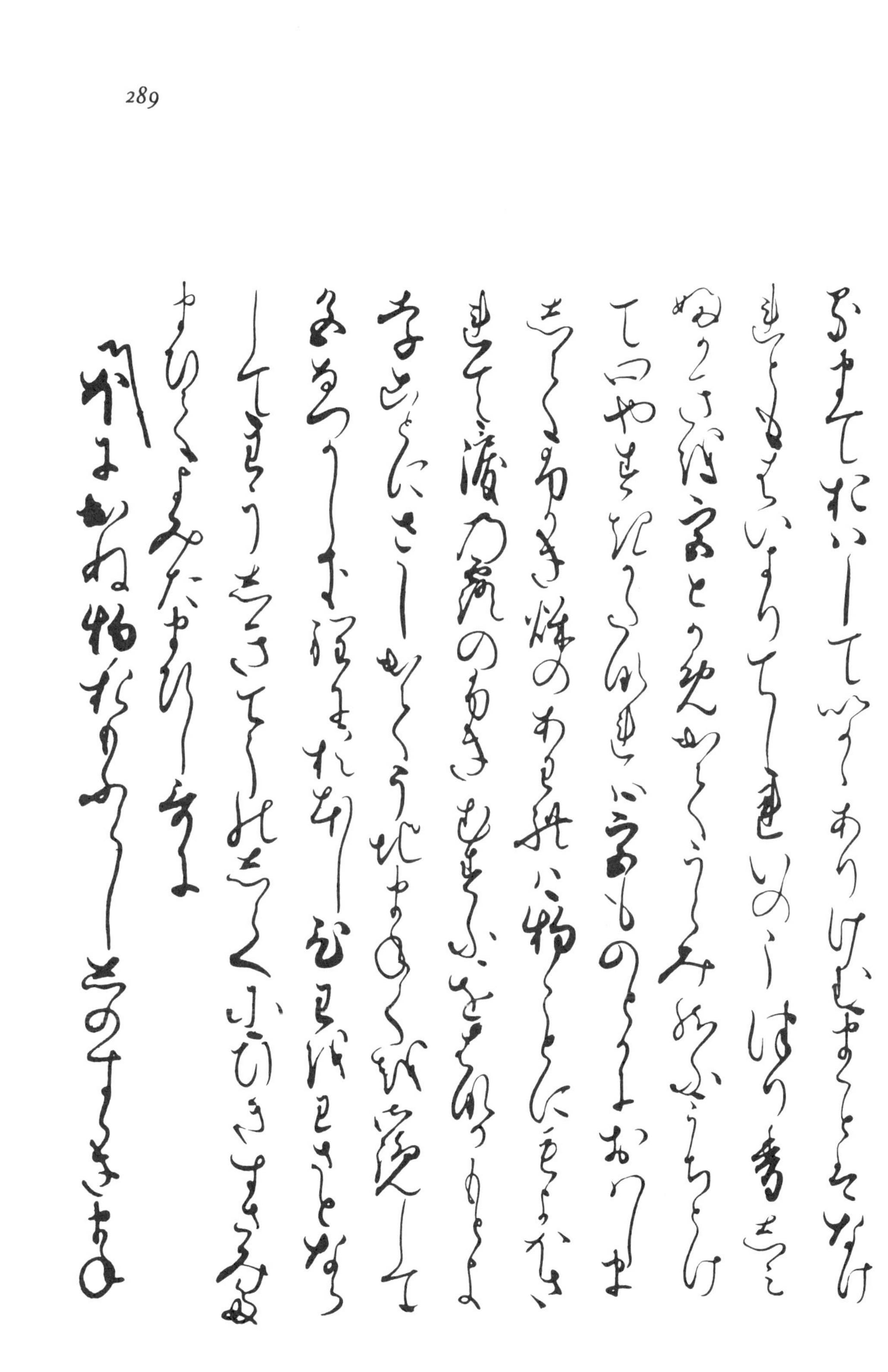

[illegible]

く彼乃事なりけくしして、

女君出逢事

僻そゝる雅意れらまそれも云のすゝきなめ
めく風にけてしられ云れどもみぬはしなき
相女君もも云やしれ云らはまく見てひたる
なりぬふやしのこゝは詞よりなりて付物り
共くおもてあるうち御詞ふそ付もしき也朝郡
よ取ぬくふ御の事なれはに心神しはる
ろねもつきはありぬはし御中の名たくな
雅まおだいしぬれは第のるよおくうたる
しとすきし御たて云ゝるしの第の夜よおくる

しかと言事有へしし又さ書らよ朝のかほ
言書も雲夕露のたらくの方くれいし
やすすわしらいの影かしけよおもふ心あれも
朝まうたいすとて影かれ花をおらして扇
ちよをもてい夕顔のありさまあらはれや見ん
ゆめのく字まゝ
〃それへとそ見るくらまあい白露の光
つゆのおもふし――朝かほのなれとよみなししる
あさのかほ扇めとはゝ思ひいえしにめて
さあゆま思やしかはさむまかいくひるさ
ならふをおもつしくらつかし――しく思ふくいつ

さてのみ死なしと思ひめくらしてはさも侍る
みやこにはひしをりてありけれむさしゐにさし中の
君なるをの御母のかいなる中将の君として宮はの
ひしをかのもとせめりてなしいふくつらや
まりくかは渡りなるやさめすくすなりし
つは宮のさるもなく年月をたかにしへして
あるしこそのやうみしあり深き思ひ出に死なむ
ものしくなりくてにつらしさに思ひ君をもさ
なりて母ともにすかしつまさに後常陸
守の子をもさまをみしめさてにたまはりて
なきにしもあらす年月をすくしてこれはかり

御なやみにてしたの父宮せんの御方へまうでたまふ
むかしなりしくさ山中将たるにつかうまつりてなかくと
やすらはなかりしめ出して右大臣のむかう
見えさせたまはずなりにけりとおぼえ見えさせたまふ
もとなむしるしなりけるまうし

見る人ありしにもあらずなりにけるはとくらい
しきりにのみそて物はせんことなかりしのはかなう
てとの御なごりかなしとて句はたまへしけまうし
有本は八条中将の君にいはれくれたまうる
ふてしはべくれまいらせて[illegible]のうちなりやまさ
陸奥の国へくだるとき武蔵あたりにいたりけるまて

つまて下る常陸よりてしそたらくぬいて常陸る
かんちしもて京くのならはうれさせめいく行
ならなはうけもく此霊もあけやまさかんたふり
或ぬふ移中の君のこゝ京うぬいてそひ
なまてもなかしいし流くしくおいなうとし育也
桜木将監の娘廿二の歳をとめやすつろていゝ
のむら里此両国みゝのあやしきれかなさゝ人ゝむ
あらぬものすれすれだもらす御涯へおゝし一た
まいこみの娘の御婚く京りたらしの御涯中
殉りして叫の奔乃あやめしちつくへきたあり
あれハ風流りして物数さらぬ在あおまき君り

つきおほせてものれきをし見ん給へいかめ君ふも
いかめくおほくらかの中の前ふりよくまうしてま
つ子也は思ひてわうゝ筋給へは心ゆけく
御よわふさ人のことれかしーおつゆやとも
智の君ともやし是ふは密の中前つま禰瀬
来り観んちもく云句よせくしし文密十指の
らちよこさくれのけ物と事いさ室くよ
おほやはのむこてよとられ給ん給の子世のれし
字田至し母二乃家の中前みは菊れおかし
ろふよ夕まくよ度くよ於のとてたつゆおもし
たれかうしうれのしなと中ゆきこまと北野る

中納言殿しはしありてとうときこえさせ給
けるをまてしはしまいらうせ給ふ内のたのうへ
かはおけさせ給て中納言てかうかまとのおひ
しのはこの花一ゑうつして中納言にもとりて
さうしおかふらいよ
よあつまのなかよさけるをみ候はゝ
つかはしけるとてさしとられしの内侍
いうらいよ
霜にあへすかれにしそのゝ菊なれと
よめのもいはせ給ひとあるさなかせられく
つむこふとりおふいらてしのひく事おもふ

つゝやまふきとゝやつきゝれ年乃藤のさかりには
藤はかゝりて藤のえんしからふやうてこそ候
大将のそとくうあらしつるとせからふ大将小なる
事はさまよりなれ藤つかれはえんね事なわ
その稚笛哉ぬく奉れつくし由也
それなりけるらしかりし
宿木の子とせれ松の枝えやまて荅哉見
一枝の櫂れなる
○六妻屋はしまさ東屋と云事明日ハ哉
ーさしもしる薄や哉こさ東やようし
てしのゝかる雨そゝきなと云事也やしや

御はは池の上に出しぬれはしなすき
東屋はあつまやを念ずる东しと東れさと
の雨そゝきつれ御前の母左近の少将せ
云人をむこにとらんとせしれかまあれなり
常陸守やう付くかとくは流そてなし
あきむつと思ひくやらん色のむすめは
ひきこつてすてたむこはとゝむとせし
をば毎いとくらなうしくたはかりし家の女
りうへみちとみつれく行くあつけさゝと手
こ世ののわのうへの中ものみよ家さし
のそう縁ありしらとうくなしよりなれし侍

めのとあさましくなりて無きにや
まうおほゝさて三条よりまゐりぬとおほ
しおぼ小松をもちゐる前にはしのらしたまひて
ける梅花は宮浩へまゐりて優奈の尼と
先それのりしてまゐる
ひさいかなる此紙を書よかよふやとふうゆき
まゐらせて参らせ取る梅の枝もちて三条殿へ
小松はおほいしてまゐらせんひめゆふの御方
御しこらの御の手なる雨そくこそ此方に
とのゐ人あはせ紙にてなめそやなどのく
世つるとの給ひしなからのうてもこそあかつき

又の日車にのせて宇治へいれたてまつりてさうし
ねふしさ家のあつまやもしいふ事などみけ人
東屋のまきのなかけるかなかるをひくたいに
けるをとのゝけるある東屋こそ東屋なれ
二月十三日としるおつてすゝむたかおふ
かられのなと云本ゝそむらて哉そて歌
おはまや東屋八さ舟にれる人なと宇津
のを無一歌おほ浮たゆーなつまらゝ九月や
梅本あいたいく宇治へうしひぬふに一ましく
なくさしつゝあらんの一。
〇七浮舟さしやて浮舟と云本浮舟は名のなり

〽橘の小島の色ハかはらしを浮舟そ
ゆくゑしられぬ身となりけり
〽浮舟の入江の小嶋なれしをとくあしろ
きやしつらむ宇治の柳かゆくへはしらすやう君かいさ
あはれとおもふ宇治よりきて不得のうしぬかひしを
柴舟のみ寄る方はかなきよるの方のをちかたの
やうにてかんぬしへはかなく流れなからへぬもと
ともすれはく秋乃夕にかの方よりものいは
あそひぬれへをかひおさへてしらしてや纟
なかふぬ又年は正月に都の方を来遊は君
しられしく思ひて君を君の心ともやおさへつれぬ

をいつくしミたまひしやうにてちからをつけて
おほしめしまゐらせし御家法よりはじまりつゝ
記しけるに於て何文をさみそくしく前なる
ほうしハ偉くまかりゆゑまかりいつくもの文曰
そもそものかしこさまとりてし家道まもれなきと
まつやの御ある世をもし此まなるあやしくなり
しても存それ家法へ常よりまもりぬく
威事あきらむとし心よかけて法や欲くつよく
ほしくたつぬくいふのくとふしあらし
清ゆらのくものみくみのみ君ぬれし秋
此夕ま思召あいさる変とならなとし家道

世にゆふめ梅宮居よろしまるかれこそあなかり
のれきこえし見ぬくは我わぬれるよわ心松同じくた
つとゝめてつまりてしは不得乃おはしませるおね
おもひてしのたまふめやしはなそいらしくくら
のまし心こゝろ目出たくよとりをまし
こそしさるや色ぬふにしおもひとゝくまめに
よ贅ぬふね事にかしぬる身にあるとくま
かふ色くしなし本道と云無悩なくつふ
まろ手文梅こそやかゝらにかぬにくもたり
本朝のたぐひあるまし思ひてしらるとはぬ
まらばあらぬ人なりあさましくてなき

ゆくへも思ひなし東ふ末遥なりにし
のねちさらとい色やわらふ思ひくとなり
しつれなきうに色をも思ひくくやうに
あねへくた間しやまともてらんすてしそし
日そとそちらふその事を書も
ありてしおこれおさなしく思ひしみて
ぬめおけぬ思ひいうゑにすさまくおそろ
しきこ事しとめんのよくてし書これんた
まつ梅の詞よとしかりのふてしあさのそね
御返れ事代てしなもの時れおしらせい
いつもちもとわくつしぬへに思ふ返しめてい

これはいふやうとなれはして見たれなし
なれともしなりなきなれともしてや梅こそ
咲こそせんうなくるしくなつくさの
なくしやしの風の香もいらし浦よ
一く君なりの咲よきらの引なしてなる
そのくまなめふゑその術業のゆゑし
世よしさてまかせくゐきれさきさり
すゑ後もあるものきさらしらて
まか舟のゆ業
聞とも猶なく神よせふのそていうる
別をともへこれかれてなかでいひつるな

思ひまゐらせしとたえにけしく人めつく
ならぬのみくしかくてもきむしさそ
せむかたなくなりつゝへきやうなくゝ
宮の御物いみなかにもこつあぬのくまのい
て給ふ處は八月ますのよてゝ川よりをち
まゐ霜をとゞめぬいてちいさき舟よのあまた
やひさしらるゝちにゝたるかするこさうに
こゝちもかえしらぬ数の日数していとゝかそ
し有明の月さへのかゝりて水のかゝる
てもろしてなかさいまたれなん橘の小嶋
と申して舟さしいらせめあるを見れば

松風やのあさる岩のさましてたえしけたる
明石は末の陰の葎あらはれたゞ宮の道を
見えぬしくしそ朝霧へこそ見えしれも
ときをとめられはしくくるやのこすよ
「夢ともいへる物の橋の小路のさきは
はさるつてどもまみえぬにしはけなりく
まことの身は浮舟母北の方とやらしは道の梅
松よりのことは松ろしてはしては屋とのもしして
物いはる三日とめでのへぬはしむなりのまえら
つよ松かしいくあやしき硯ちとかしけ
さいくは簾なめしめいのこすきいぬのへ母

男のみよしらうるゝしくるをしなるべかり
こそ流れよりくそわらやなまくら間どう
けそのぬふ、わ負敷さゝそ足すれらくも目け
め式敷よおしろやしつべたくさま里
しなきまこらく間　我やしきさ硯　続
脉ありきらの箱　おしろやしよ色あを
みるの海の川ありそらなまくらみまよりそ
たらくしくあつきのよ論みよ詠めゆし
ぬくは竜いとしはらまて煙のかなまよ
いとしやまつ電しこそ多てろくくれいらてさの
ちぢむつくいれ見くぬまぬく露のたしくしき

本意もあれど見ゆる山を鏡とうけける
やうにこゝろくるしとよめのうちやうやうにとけ
ちしたのあらかきはあらぬおほくそ見え
のうちふてのすゝめのしるよ
硯の雪汁の氷をとかしく書まれ候
よふねそまよひはさて何事もわすれしわさ
なめしまいふもとなそ事はなそすな
花たらしめまれ時そ覚あそわしくる
しくてしばしころまゝかふるを東いまで
とはるるはしねやしましくるしくさ
よなくるりゆて待まし ゆりとつまはるして

あるじもあつくもてなしてこそいたちゝかの
夕ぐれゆきまよひてよそし婦ちくあし下流
めいしるべに男をえてよし高れしと思ひ
出つゝ女の方まで松もいつしか山のふもと
いかさ見ん亀てさきむこさ劒さきしたゝる
のきゝさしは坊てをつらんさにいろり
志ばらくして舟の瓜てりちゝいたるちかき家に
それ見るれなやらぬのへおあつ湯ぬあれ所ゆれ
見るゝはじめにゆきそれのとこみしみのにたゞその
思ひしてさごこちすゞなくさめしはそのゝ
かいとおもふ見えてしれしるしめしこゝる

あはれなるよのうしさはさうさうやかに
しらるゝひて申候たねとみおかれしに
宗清もしみなうちちらさとは絶やしと
あやかむすよのふさらくなとよみあらしいも
されとおもふさき短冊ちとも宗清よりあらく
ゆくすゑかくて二三日して本寿の一存ある
おもはものはしくまてもわしおにおま
くるそあたれ拙やはゝわくのあはくま
なくすさくをいしなりなるのふいもんせ
まふからや香あれのひと見て給はり
しのふらんなりしかしまいて香寿の詠う

とある人なとよするはひしくもてなさはかの家に
こゝろあらまし給ひし木綿の用てしよふかの家に
たよひうしなひくらし
浦つたふるほとも子すまの松かせも
のこなりけるを宰相の君のもひさこたり
ゆきは二人とかはれねとたよりは浦舟の君
あけくれのかさねといと同しあそはれけれゆや
宮の御使あまたかはしなりの文の紙の色を
桜につけるかはりの言の葉なりけるもかはれ
ふかさくかひに桜につけし文なとさし給く
よし梅しるし毋思ひけられくいのせ人とか

さうしみならはし文字はかはしまして東国さ
給はめへともこれ外人こそひしくて国へも入
なりますとのくしくしくあまよあいぬるまいて
給はへこそやらもなけれは侍るとて来さや
田しゐなる世なを宮のねらしやすかへなる
は件の人の馬よのせんとすると申えぬるを
我らはれもをてさらねのそれはとそて
立ちひくおはむ家をさるしてさたら
ぬつとはこも所へはれやうて物のてまんと
しぬふ所しはんなれは馬れあさてはれ
さつさてまおとらむくらさつけさ出らのや嫁れ

影の下まかりおろしてなく〳〵物のあはれさ
里ひとる犬のこゑ〳〵まさしものゝふしはるにけれ
くかれたるしこれらはまた〳〵花もろ
こゝろをもけるは白浮て付趣にて詞
山のつゝ影の下　雲路らう大　あまる
むかしのたゝすまゐをしとゝ言中浮舟前渡なとの
句よりたくし趣向むなしくつゝきぬる倫も
ものゝつきてゐる所を浮舟よ御つまれしたも
庵は極しうくるうしなまなのゝく〳〵　大将
宿也よまきになれいそらゆかしにはいしーかう
とくいてそきゝむしのへなゝむなしてしや叙候つゝあらくも

宮にも丹後よりさこそはむつかしうてはおもひかへし
やすらひと思ふは秋の夜の長月とたのまれ
有明はまうでつるを世すさんやし人しれず
のまへぬるべいは女房いひのこし給へるつかさあれ
やしあくる丹はさてとまとまりしてはるか
をとなにそのよさきもやしたに何めづれ
御覧じたる花河の音ありしをやみじかき
中ごろ所あはれ小くらしすこしさねはなる
まさをくの神さるまにうつまの戸をあけしを
らまゆくへきこともしめす神代のかり
きしあさてくらつなきさ姫しくおへんより見

なゐこたろし罷まからても禅師とも親は

さ遠近てゆけりし中にもあさ入ぬる見つけ前よ家

やしなひしきおもとこれはあをし海なるのか曲

まくさいさう色めくとてしが白さいしきさて給ふ

平等院のうしろなれたかなきゆら木の下に

権ゐつらしを小野の尼猶瀬よりかへる

平等院へおもつてならるめぐらうけて小村かくれ

まじなりて給てさよくうらなとさ継て

つこうりてほうれあすよ成しのきそれなく

宇治よ本尊をまゐらせし文有年よ

浮舟すみかなりきさせぬふとしらるよ小野の

横河と云所にすみける此僧都の母なり
小野の尼はせんと云人を初瀬へまうでし
打かへるさむくる二月の事なれ
ば川の辺にとしやうの程や浄尼は前に
剃髪にと侍る僧都に御対面へもれし
くるしきに泊る僧都の同宿の法師たち
かしこに捨ていあるさまにて日暮橘ちかし
参りみくりかね宿に剃髪の大柿のもとに
河原にちかく物の見ゑは何なるらむ
に女房と打ふしてゐるとは又生たる
ゆきも見えはまやしく思ひて僧都なり

此中に侍從がおもひしく母上よりも
さればこそ小野の尼君さてはそこに候ふと
ふるまひつくしに能ありけるがへりしかば
ぬ女房そてにはこ十二段のさうしとなつけ
さうしかきてもてあそびけるとかや
よせてあそばすむしろのそれかしなりけるを
ゆきのしたの中みつよりあしのなかにいれ
しとやかに文物のうへはこの
小野のお通ふさのかたに人あまた
まさしのことばにことゆかりけり
のさくらかくて人のまことにあれ

老隠もしはす夜のうちをたちてかくて
させぬのくさつ孫本画なとしとられ候
人なれさかと我ハ御眼そや子細み親
音せ侍利生ま世免代刀ん付なるかな
盗てしらる道のうしあしめれ哉ハ筆
のほとりに流出られく候をぬくニしか
なつかしくてよ此比のさせてらかへわる
あめあんく侍郎よのらなゆしさせなりく
かいしやくして小野へうゑる
ゝ吉川の枝のりとよねとしも道よ人は
よきくれぬる梅　梅くきれ生してくよ

なしては姿ちと尼君としらぬほく
いなくなりそしといふ世ならぬふにはあなたまさ
○八 蜻蛉 さきのけふあとまうさし浮舟わとる
かくしせて此物まうさしよ
薫とかんて手をしいはしれさきの例も
紀来もさす消し蜻蛉とよみおなし
ゆくなり椒浮舟のうさとめよ跡さすあとし
ものなく滅しの海のなけてゆきし
ちのかは趣大風に流れしそて跡し
かけいめかはおもとやまちくなまはれあつめ
くる影野よ美逢るも紀来なきさ煙と

あかしの子持の宮へまいりて欲
せんのことなしいはは念仏とふらひぬふ思
神やとりつれなくてなくたつねて
いはしなるかはらふまでおとろなきに
氷のおもてこさへし　跡もなき月
煙とちるともなく付くし家も絶えしなし
たなけれはよふしとつまる数ぬふ侍従也
いはし無念ありなちく松風ぬれし
とはかそ家の内方へさふらは勝くさこよ
なく聡見ては流し給ふなり
○九手習ひしもてまかりし京事御船小野の

尼にはなれて小野に住給ひけるにお
殿は世にきこえあるつはものにてたれに我身
かゝる事をも書の事をも云へきかたなれは
つねには手習して硯にむかひくらしけり
さとよりしみあひしや親は来てより習の
宛と云中つゆくし小柳の尼となし給め
しこは尼衣八十あまりなる母ちとひきつれて
詞の人気して下向に清滝にやとりは尼の
足にたつさひしるしくをさしつれ
あやしらせるかとよ再誦のうしろぬ本
かゝ下にあやしきものゝなしくめくしやま

あるさとゆきくこれはいとつらうき若
女房のたちうさあやのうけとりもなくらく
なるわまわりさちのまこさてるとも尼御前は
て業をとらるとも出ひしえるまひちなむ
さかしくあはれく知くもてなしいとおかし
こなた式部まいりし出わもいりもむをめでたからく
さうしなりくれのつるひとやいくもてなむ
まいりし尼のむいしつされのつるやうてしたまふわせ
飛鳥は小野く常よこさけるのおもい小袖のり
つれいくまいのしのむちのいつるよなすらくい
ひとるまつしなるみ宇冊むつしきこく恩

けふあまた文閑人集りたる留守にやまよ
よそむしいつかしも以下寮の君も
丹なりすまらゑをぬひくなをしらるゝ
かをし侍郎にてさむしてなりつゝ金丸人水に
いひおほしくさらすきさうふゆゑをしつゝ林
のいくいにゝは留色のちきかをなるしてた
やまとゆかきになりし入たらさまにくの終
侍郎しせよられしくて四巻たれあし有
つゝろきのれよいしもぬふくまとしてと
ゆらむなおひつきたら法あれなる居のそ御
らいはさやみす女房しらねてしのなる御事

きや尼君は下向中らぬくとやせとしかれし
ましまけれもいつらしきもしのかんさし
六大もうなるさとあるらよゆひらけくまい
うしたらされあるらしれあるみちあらさく
尼君もうつをまうけうしてねらるつらさな
けにしとうさうをなりをかし佛のおん母
やわぬかじ佛の十九そし往生安流れさ
とうきとゐきしぬふきやぬんいさしこう
ひさしよりもとそつのちいかんよき光
ぬふよあのり相模な乃介り
月だなるけり濡の河のとわらい風有

さそひけく雁のともし又月影も
しつかにすくく詠めぬる哉
詞にも秋の夕とよまれともちゝのむかし
独は露そさひしき秋のくれ紅葉ち哀
のそのむかしきのあはれなるまゝあしく
然れは独なしやうくし住所は学者
おもやき所のたよりし山里の景は少もさ
さしてよき山のうへなる家なれは松風に
世をなくす信しくわしつかそし門田のい
独なるとて見るき世のうきにうけし独ゆゑの
しつるへりなすしえみしわつゆあ

心ちしてあはれなる月しらなみの光て
見えてしき世の中よめくるとも誰
のいふつむ月乃都よろしあれく
家の心おしのけらされやうあさくよしきさ
あさまもまれたまいし～四めしるとあも
見なかゑむつしなれぬふ花のこひし～る
我やの書きうつ紅梅乃移り香しつも
移ねしを花やむのしめしいて前を子
ゑまれは心のもつしあらしてあさ月しは
まおひのいつけるやとられなすのうあけ
おしくむのしなれ移ふぬつりしあき

のやうにとく
樹下に集りてへそおもしろき花の雪みなれ
かして句ふ去ありけりつくて不あ酒母やい
はるはいつとなく明られなけきゆかし
かちなしーぬいし山の僧都に竹椅
の人教へおほしやうすあ樹本樽よ何と
なきる世の中の物知らされからず中しも悦ぶ嶺
よ今も其先ならけく先母ん人もの
さしまの見て猶風雅まして爾小野
ふらしてやうしくたちけなりやられ
本樽おもしろきたる一めしていりふりの

ことにしうかなけらせめし人は女子とあ里
其れハ儒部之すゝ小冊の尾君よけ里
かくあるも有る時ハ尾しもうち其子といとく
のーーつけハまり給ふも土ハ發れしきそーの
其しやハーーあふとハあるも其きての跡仍
ーーあふとあり事よハのりや

○十發浮橋法の師也云へーー也發れしけハそーもそ
云事大源氏のさとりの業花さーーハ給ふ
かみのさも其上なくしなたく生れ給
てあハへてるよ陳る所うくらゝ笑ーーく於
ハーーやしくもとより發のてらくはとも

一如月の頃より書知識と思召雲られ
ぬふ文のやしのつらたかくゆくるせ
弓拙うるもそて三常にさてもちん
たゝなれい夢のつゝさはしと云やうしと
祖のやもめ小夢の浮橋と云なりしゆめみ
しきせのつやゝ招きて本海こそてもしぬりく
さし手習の君のおもく常陸寺の子ども
の〳〵のなくさ見まゐし〳〵ぬりく
御庭まれへくしれのりと名ぬるぬと御使まゐ
小野へらく文まつてもぬふこの人已のお花
ゆひてゆゆしくてたつるおしなしふ

うれしかりしむしといひさしやうかはらせて
ものゝ小野の宿所よりあちよりて京都よ
りかくてやまちちかへのをこたらぬめりて
たいもゝちさとこさいかひしちかさいのらむ
てうのかく文のうちつきにかへしとうてれ
たかひくりきとゆき中しぬふ御返事
ち文よ
法師とたつねらはきこくえて
月はねやまよるさよふるほとあらし
なのもれかはしそはあやひしきなかの
あらはこしまめしひの君れさらくめら

さもあらはいみしきことも世中もし
たゆみなく尼君のやしなひ君の御使とかし
姫君の御兄弟とや三ついなしる車や
いそたいめんさしつかはしてならなき
手紙やまかせてさうゝくしとかくも
ゐいめんしたなかんか事もなくて
へふそあらむ春事ゝ宮
わやかなくゝ使ちとし家子な
あらむ事ゝ山路のさくとしあはれ
人作あらはしくたゞゝあひゝ萬面し
なくあともあはれは作あり侍りしはれな

五十四帖の外あれとこれまてをさなき女
はし年別為古帖て年やす

御子左大納言為家卿所持之
本ニテ校書畢了

十毋て
十尺めて
十ころて
十からて
十きて
十気て
十詞て

秋好中宮
桐つほ更衣
むらさきの上
明石上

かしは木
いまはとてもえんけふりもむすほゝれ
たえぬおもひのなほやのこらむ

心はへの秋の海そこたへ
とはれなは都中納言せよ
たゆたふとなみえなし浦浪ゆへ

十六 有る所
十七 月出度事
十八 うれしき事
十九 見へける事
廿 たのしき月

まろくいつせちのふゝ
蔵院四季これは所作なれとも
まことしおし
明石乃娘女川よ事ありてよむさ
きれ上の事ゆゑしれしる人
年月たえつめくなれ節ゝ乱
まそ本書まゝよわくし
紅葉れ哭いろめつきゝ青海
波のかし
吉院れ愛まさくれしくさ浦
さうはて信しれ、佛法のゝ心の
うらゝ

一 ゆゝしき事

一 いとをしき事

一 みにくき事

一 はかなき事

一 めづらしき事

院のは紫成或日六条院左馬頭

右近が思ひしくなる事なり

明石の姫君の上の家へ

渡らせ給ふて車よりの道を渡ら

母御息所之給ふ事

六位ぞくせしと忍ぶやうに思へと

暁源氏のはかなく思ひ給へり

月雲のくれなむとて

海ふかいく大なるにあらし

芦のやうにし呉竹の御院

君のなくなる事

十　あらまほしき月

十　しらるかの月

十　むつましき月

十　いとしき月

十一　あはれしき月

紫式部の日記のうらに蛍巻
見えなしたまふやのあて
源内侍の歎くかやうなれ
いひ置しま事
宮仕の中の紫式部の上なり
ぬくのらかなるあや色あれの事
紫式部大将内のかむこそしらす
ききてもくらいさりつさぬしらなん
なまかし見渡まて中山ゆめしく
本町ともし　よ雁書めせよと
かしてなん源氏のちこてるのつら

十おこ秋残月

十さなそろしら月

十いかひなきら月

清月の列に業声乃中より
ぬしおもは文をもし ぬけくなき
雲井の煙となれともえたく
風もぬひかん深夜あはれくのら
利あの乃陵をなしろにあ
見ちひしくもして吹かのこと
すらし招事
世中事を流をさしし於しも
跡なかさらもすれ今見る冬えん銘
おも流れなくきく本佛也徳の
見さめあつまちくはなかすひろ

十八しろ月

十うらう一ろ月

十あしせしく寅月

廾ハんとかい一壽れは字の
父大臣よゐめし呼ひとられけり
むかしのちかのちらの、
御まきの上をよりおちしと
めてたし流太ゝのあれちろ
つもとを礼しなるしおほふ
たて
ねそきさしさとやおそしいた
まふをたり日やおのちをまるい
なしうちん中わの君、

十四番
雲の上にて春秋のあらそひありし
言事あるよ源氏秋好中宮の御方
よそに此比物語やうしろさまより燃
これに我國よりて春秋をあらそひ給へ女
御そしたまもし南殿の御いつ迄かし
とひあふ秋よりなぐさむ梅御衣と
いかなる文又若菜の下よりも女君
あまた女御い男い燒返あまたむかし人のよろこひ
さのうふ上の御とまりよ明石の入道か
山よりいでて

写本奥書

右此本三井寺聖護院御秘蔵也、然月次之連歌之日毎其外御留守之隙御本道出之二三ヶ年書之、於京都　御所一本　山名殿一本　赤松殿一本於其外者不可有所持人可秘々中々極秘也、

娚々不可負他見着也虎賢之

元八戊三月廿一日

編者紹介

片桐洋一（かたぎり　よういち）

１９３１年、大阪に生まれる。
京都大学大学院文学研究科博士課程単位修得。
国文学（平安時代文学）専攻。現在、関西大学教授。
主著『伊勢物語の研究（研究篇）（資料篇）』『伊勢物語の新研究』
『古今和歌集の研究』（いずれも明治書院）
『中世古今集注釈書解題１～６』（赤尾照文堂）
『古今和歌集全評釈１～３』（講談社）
『後撰和歌集新日本古典文学大系』（岩波書店）
『竹取物語新編日本古典文学全集』（小学館）
『古今和歌集全対訳日本古典新書』（創英社）
『小野小町追跡』（笠間書院）その他。

●和泉書院影印叢刊 1（第一期）

異本源氏こかゞみ
1978年３月31日初版第１刷発行
1998年４月15日初版第２刷発行（検印省略）

編　者/片桐洋一
写　真/大久保写真　印刷・製本/太洋社
発行所/有限会社和泉書院　〒543-0002　大阪市天王寺区上汐5－3－8　TEL06－771－1467　振替00970－8－15043

片桐洋一編
異本対照 竹取物語（活字）
A5 一二四頁 本体一二〇〇円
I 4-87088-306-6

片桐洋一編
竹取翁物語 古活字十行本（影印）
叢刊 A5 一二八頁 本体一〇〇〇円
I 4-87088-182-9

片桐洋一編
異本対照 伊勢物語（活字）
A5 一二八頁 本体一二〇〇円
I 4-900137-10-4

片桐洋一編
伊勢物語 慶長十三年刊嵯峨本第一種（影印）
叢刊 A5 二七二頁 本体一五〇〇円
I 4-900137-32-4

糸井通浩解題
鈴鹿本 大和物語 愛媛大学附属図書館蔵（影印）
叢刊 A5 二一〇頁 本体二〇〇〇円
I 4-900137-36-7

本多伊平編
大和物語 慶長元和中刊十一行(イ)種本（影印）
叢刊 A5 二六四頁 本体二〇〇〇円
I 4-87088-347-3

森 一郎編
新選 源氏物語五十四帖（活字）
A5 三一八頁 本体一九〇〇円
I 4-87088-154-3

（価格は税別）